コロナ時代を生き抜くヒント──本物を求めて・目次

はじめに――なぜ本書を発刊するのか

1．私の児玉メール

私は4月3日に次の通りのメールを市民団体や地域の市民連合、弁護団など関連の多くの各団体個人1000人くらいに送りました。

「児玉です皆様へ

毎日新聞の「論点」（「情報公開と国家間協力」のタイトル）の北海道大学・吉田徹教授の論文と、サンデー毎日の「専門家会議の大罪」上昌広医師の緊急告発と、私の本『戦争裁判と平和憲法』の「平和的生存権」の部分の資料をお送りします。

今日の東京新聞のシカゴ大の山口教授の日本の少数検査苦言にもありましたように、初期対応の遅れから、現在までの安倍政権の新型コロナウイルスでのチグハグな対応の問題性が深刻になってきています。世界でも、ドイツ、韓国など人権重視・福祉重視の国々による検査重視のコロナ対策による感染率死亡率の相対的な低さと対比してみても、よくわかります。

これらの資料は今後の新型コロナウイルスへの我々の真の生き残り解決のため、人間の尊厳を守り、新たな人間の連帯と共生と平和の道を考えさせてくれます。吉田論文の情報公開、民主主義こそ解決の本質的な道であることと共に、戦前の大恐慌とアメリカのニューデール政策で解雇禁止法など労働権を保障し、社会主義国を承認した後のファシズムと戦う連合国のきっかけと日本国憲法の平和的生存権のもとと、また世界のいたる所の欠乏恐怖からの自由、言論宗教からの自由を認め、戦後の国連の構想を大胆に宣言した大西洋憲章の基となったルーズベルト宣言を参考資料にしてください。9条の源流でもあります。」と。

まずその**一つ目の資料**の毎日新聞の「論点　新型コロナと向き合う」（北海道大学教授の吉田徹氏）の原稿を紹介します。今後のコロナに向き合う世界の政府のあり方を基本的に問うものです。

〔新型コロナウイルスの構造的な原因はこの間、家庭や雇用のみならず、国家を含めた個人に安心と安全を提供すべき存在が衰退し、人々がリスクに弱い存在へと追いやられてきたからでもあろう。従来、ポピュリズム政治として表出してきた中間層の没落意識や、公的機関への不信が未知への恐怖を増大させている。ウイルス対策の有効性は政治への市民の信頼に左右される。政治不信が強い国ほど政府の情報や政策が信用されず、市民の不安が募る。政府はトップダウン、かつ、場当たり的な政策を後手で打ち、混乱に拍車をかけてしまう。米国やイタリアなど政治不信が強く、ポピュリズム政治を経験してきた国でウイルスのまん延、ロックダウン（地域封鎖）といった劇的措置が続いたのは偶然ではなかろう。

経済状況も如実にウイルス対策の有効性に影響している。イタリアはユーロ危機（２００９年～）後の緊縮政策で医療体制が劣化し、コロナ感染の震源地となった北部では心筋梗塞の割合が以前から増えていた。米国では２００８年と比べて公的衛生機関で働く職員は5万人も減った。緊縮政策が国民の衛生状態や健康状態を極端に悪化させることは以前から指摘されている。１９９０年代と比べて保健所数をほぼ半減させ、国立感染症研究所のような重要な機関の予算を約2割も減らした日本とて例外ではない。これを機に、日本も、セキュリティーの概念を治安や安全保障だけでなく公衆衛生にも拡大すべきだろう。

他方で「中国のような権威主義体制の方が危機に強い」という一部の理解も間違っている。中国は武漢での感染拡大を収束可能な段階で防げなかった。イランも経済制裁の影響も想像されるが、感染者が爆発的に増えた。民主主義国では政府の情報公開と説明責任、マスコミの自由報道で社会の強度が維持される。社会がリスクをどの程度許容するかは民主的に決められるべきで、それには市民間の熟議も欠かせない。懸念されるのは、せっかく9・11テロ（01年）やリーマンショック（08年）で台頭した反グローバル化の波が一段落していたのに、今回の騒動で再び自国ファーストの動きが頭をもたげることだ。目に見えない恐怖だけに、「国境を閉じるべきだ」という意識がまん延しかねない。グローバルな問題はグローバルな手段でしか解決できない。史上初の公衆衛生についての国際会議（１８５1年）は、帝国主義によって広まった感染症への対策をめぐってのことだった。国境を超えた往来を制御するのではなく、情報共有と国家間協力を今後どのように進めていくのか。これなくしてウイルスへの勝利はない。〕と的確に指摘しています。

二つ目の資料は、3月22日のサンデー毎日の「731部隊の亡霊」「専門家会議の大罪」「収束まで1年以上かかる安倍首相の重大な責任」を「上昌広医師が緊急告発」の記事です。タイトルが少し仰々しいのが気になりますが、結構本質をついている部分が多いので紹介します。

〈収まる気配を見せないコロナウイルス禍。このへんで中間総括が必要ではないか。誰もが不思議に思う謎が2つある。一つはPCR（ポリメラーゼ連鎖反応）検査体制の遅れだ。PCRは、ウイルス感染の有無判定の唯一無二の手段。遺伝子増幅技術を使った簡便検査法で、「測定機械は一般の大学や研究機関は、民間の検査企業にかなりの台数がある」（児玉龍彦・東京大先端科学技術研究センター教授＝3月8日号）とされ、民間活用まで広げれば相当な検査件数を稼げるはずであった。にもかかわらず、である。2月12日時点で1日300件、その後も1日平均900件（18〜24日）ペースで、後発国だったはずの韓国が同じ時期に1日1万件検査できる体制を作り上げたのに比べ、あまりにスローモーだ。

現時点では検査能力4000件体制を確保、3月6日からようやく民間での保険適用が可能となるが、それでも加藤勝信厚労省によると、10日段階で民間、大学で600件程度が増えるのみ、という（2日参院予算委答弁）。対ウイルス戦は検査データ増が至上命題だ。分母を多くすればするほどに正確な感染率、重・軽症率、回復率、致死率が出てくる。地域別、男女別、年齢別、状況別のデータ解析で、ウイルスの危険度の実相が見え、正しく恐れることが可能になる。政策の優先順位がはっきりし、エビデンス（証拠）のある行政指導で、国民と対話をしながら政策を浸透させる。「首相決断」でいきなり一斉休校を求めるような乱暴な措置はもとより論外となる。

二つに、クルーズ船対応に大失態だ。封じ込めるつもりが結果的に感染拡大の培養器と化した。3894人の乗員乗客の2割、700人が感染、外国人を含む6人が死亡、厚労省職員や検疫官まで感染した。情報開示が遅れ、国別乗客数さえ公開されなかった。下船後も船内感染の可能性を想定せず公共交通機関で帰宅させた。このツケは重い。国賠訴訟のリスクだけではない。日本の検疫・危機管理能力の低さが世界に周知され、医療・衛生大国としての信用を失墜、「第2の武漢」「人体実験船」と酷評されるにまで至った。

PCR検査体制の不備が選択肢を狭めた。スムーズな全員検査により陰性の人々を早々に下船、自宅待機させることもできたはずである。児玉教授も指摘していたことではあるが、何よりも船内隔離された人の感染拡大阻止、治療、介護といった人権的、臨床的視点が致命的に欠落していた。つまり、安倍晋三政権の対ウイルス対応は、最も基本的作業の段階で躓き、最も勝負どころの場面で汚名を稼いだだけであった。なぜそこまで悲劇的なことが起きているのか。何がネックなのかを解明しない限り、後手後手ではすまない。」

その謎の一つの「解」が、上昌広・医療ガバナンス研究所理事長（52）から提供された。上氏の専門は血液・腫瘍内科学、真菌感染症学、メディカルネットワーク論。東大病院の内科医だったが、研究中心、患者二の次の体制に嫌気がさし30歳で飛び出て、その後自立。臨床症例報告の地道な積み重ねの大切さを訴え、国の医療行政に辛口評論を加えてきた人物だ。上氏によると、キーワードは行き過ぎた「臨床軽視、研究至上主義」と「情報秘匿体質」にあり、人事で体制を一新することが唯一の解決策となる。現体制とは、対ウイルス戦の参謀本部ともいえる「新型コロナウイルス感染症対策専門家会議」（専門家会議＝2月14日発足）である。そして上氏は、次のように指摘している。

▼「PCR検査の遅れも？」「韓国にできて日本にできない理由はない。国内には約100社の民間検査会社があり、約900の検査センターを運用している。一つの検査センターで1日に20人を検査すると1万8000人が可能になるが、それをしないのは感染研の処理能力を超え、彼らがコントロールできない状況になるのを恐れた。感染研は「研究所」だ。現行のPCR検査が「研究事業」の延長だからこそ、臨床医がPCRが必要判断しても断ることが許容されてきた。

▼「臨床的視点が薄い？」「受信の目安」（2月17日政府発表）で、高齢者は2日以上の発熱が続いた段階で帰国者・接触者相談センターへ相談しろ、とか、PCR検査は肺炎の確定診断にのみ用いるといった基準がまかり通っている。早期診断・早期治療は医療の鉄則だ。特に高齢者は治療の遅れが致命的になる。発熱すれば体力低下、脱水になる。2日間も我慢せず、点滴や解熱剤を服用した方がいい者もいる。そもそも2日間も放置するのは、高齢者肺炎の大半には致命的だ。

▼「クルーズ船対応では？」「検疫の目的は国内へのウイルス流入防止だが、被検者側からすると、健常者を対象に新薬をテストする治験に近い。普通治験では被験者の安全に最新の注意が払われ、一例でも死亡例が出たら中止となる。今回の検疫も同様に扱うべきだったが、厚労省は乗客や乗員の人権を軽視し続けた。結果的に船内では1人の感染者から平均5・5人が感染した、との調査結果が出ている。中国が武漢を対象に感染力を推定した2・2人の倍以上だ。政府は武漢の日本人を専用機で救出したが、クルーズ船乗客には何もしなかった。

▼「そこに軍由来のものは？」顧客に向き合わず、データを取ることに向いていた。高齢者を船内に閉じ込めればこ

うなることは容易に予想できたはずだ。結果的に人体実験をしてしまった、ともいえる。亡くなった方々も海外旅行に出るくらいだから、検疫前は元気な人たちだったのだろう。彼らの死には回避可能性、予見可能性があるから、業務上過失致死を問われてもおかしくない。多分海外から集団訴訟されるだろう。

▼「一斉の休校にも反対と？」 国家が介入すべきことではない。地域に委ねるべきだ。そもそも学校が休校になるとお母さんが働けなくなるし、学童がもっと過密化する。どっちに被害が多いか、それぞれが試行錯誤して情報開示し、一番合理的なところに落ち着く。権威で規範を作ってもうまくいかない。現時点では高齢者対策こそ強化すべきだ。

▼「いつごろを収束と読む？」 1年以上かかると思う。（ピークは？）だらだら続く。世界中をぐるぐる回る。SARSの時とは比べにくい。もっと世界がグローバル化しているからだ。

▼「この局面どう転換？」 なぜこうなったのかを検証し、責任問題をはっきりさせ、専門家会議のメンバーを、研究開発したいだけの人たちだけではなく、本当に患者さんに向き合う人たちに入れ替えることだ。半分は高齢者医療の専門家で、残り半分は小児科、産婦人科の医師や看護師といった立場の人たちに切り替える。ここで思い切った転換をしないと、薬害エイズ事件と同じ構図になる。C型肝炎問題もこの人たちだ。肝炎も血液製剤も特殊だから国がやるといって、カルテルを組んできた。731部隊から連綿と続く構造だ。

▼「未だに731の亡霊か？」 それを払拭するいい機会でもある。実は日本には新型コロナウイルス克服で世界をリードするポテンシャルがある。それは国民皆保険制度があるからだ。すべての国民が一定の自己負担を支払うことで、医療を受けることができる。新型コロナウイルスは指定感染症になっているので、診断されれば、医師は厚労省へ届け出が必要になる。普通に診療するだけでデータが蓄積する。こういったマスデータが取れるのは日本だけだ。

この膨大なデータを解析して公開、多くの研究者が議論に参加し、論文を書く。世界中で議論し、コンセンサスが形成される。エビデンスに基づいた政策や経営判断が可能になる。それこそ中国、韓国と共同で東アジアプロジェクトを立ち上げる手もある。

上氏ならではの身を挺しての直言だ。PCR検査の遅れも、クルーズ船対策の失態も、臨床軽視、研究優先、秘匿体質という3本の歴史的補助線を引くことで見えてくるものがあることも確かである。

当面は社会的混乱と経済縮小の悪循環が続くことは容易に予想される。安倍政権の崩落を超え、日本国の命運を左右する情勢にまで至ったとの危機感がある。いま安倍政治であることの不幸をもうこれ以上増幅せざることを切に望むとも述べる。その後この特にPCR検査の消極性についての指摘が今日まで重要であったことは、後で述べた通りにすすみ、多くの犠牲者を出してしまいました。

三つ目の資料は、「ニューデール政策と平和的生存権」です。

私が2019年に出した『戦争裁判と平和憲法』（明石書店）の平和的生存権の項での、沖縄大学客員教授の小林武さんの安保違憲訴訟裁判での意見書です。

〔日本国憲法前文の「平和のうちに生存する権利」の規定の源泉は、すでによく知られているように、いずれも1941年のルーズベルトの『4つの自由』宣言と、それをふまえた大西洋憲章にある。ルーズベルトの宣言（1941年1月16日、議会宛て年頭教書）は、ファシズムとの戦いにおける政治道徳の理念を示して、『われわれはつぎの4つの必要欠くべからざる人間的自由を理想とし、その基礎の上に立つ世界を築こうと努力している。それは、第1に世界のいたるところにおける言論の自由であり、第2にすべての人の信教の自由であり、第3は世界全体からの欠乏の自由であり、あらゆる国家がその住民に健康で平和な生活を保障できるように、経済の結びつきを深めることである。第4は世界のいたるところにおける恐怖からの自由であって、これは世界的規模で徹底的な軍備縮小を行い、いかなる国も武力行使による侵略ができないようにすることである」としたものである。

これをふまえて、米・英相互間で第2次大戦後の構想を含めて宣言されたのが大西洋憲章（1941年8月14日）であるが、それは平和と人権の相互依存性についての明確な認識に立って、『ナチ暴政の最終的撃滅の後に、両国はすべての国民が、各々自らの領土内で安全な生活を営むための、またこの地上のあらゆる人間が恐怖と欠乏からの自由のうちにその生命を全うするための保証となる、平和を確立することを願う』と謳った。この文章こそ、日本国憲法の平和的生存権規定の制定にあたって参考にされたといわれるもので、その直接の原型であることが確認できる。

日本国憲法の平和的生存権規定は、こうした国際動向の中で成立している。その点でわが国憲法の平和主義原理全体がそうであるように、その平和的生存権も、立憲主義憲法の発達史を継承し、普遍的な性格をもつものであるということができる。日本国憲法がこれを実定規範として挿入した最初のもので、この憲法の重要な先進性が認められるのである。そして、内容的にもわが国憲法の場合、9条が戦争および戦争準備と軍備とを全面的に否認する法的制度を設け、それに対応する形で前文において主観的権利としての平和的生存権が定められており、この両者が1つの事柄（平和主義）の2つの側面を形づくる格好で体系的構造になっている。

しかも、この権利は、13条を媒介にして、第3章の諸人権の基底に置かれ、かつ、各人権と結合して個別的・具体的に機能する。平和的生存権はこのようにして、憲法上、完結した形で保障されている。それによってわが国では、戦争と軍備の法的否認にもとづく人権保障の憲法体系が生み出されたわけであるが、それは、他ならぬ日本国民自身が味わった悲惨な戦争体験に根ざしている。それゆえに、平和による人権保障という戦後世界共通の現代的要請が、はじめて具体的な実定法の形で実現をみたのである。

前文の性格は、日本国憲法の場合、憲法典全体の指導理念を明らかにし、憲法本文を解釈する場合の基準、また立法がなされる場合の準則を示したものとして、憲法典の一部を成す。それゆえ、前文の改正も、当然に96条の改正手続によるべきであると考えられ、議論があるのは、前文が上記のレベルでの法規範性を有することを前提にしつつ、それが更に裁判規範としての性格を備えたものであるか否か、すなわち裁判所が直接に前文を適用して法律・命令などの合憲性を判断しうるか否かをめぐってである。それはまた、違憲審査権行使の際に法令等が憲法に適合するかしないかを決定する権限（81条）を裁判所に与えているときの「憲法」の一部であるかどうかという問題である。従来の憲法学説は否定説が多数であったが、今日では肯定説も有力である。長沼訴訟第1審判決、自衛隊イラク派兵訴訟の2008年名古屋高裁判決および2009年岡山地裁判決が明瞭にこれを肯定し、重要なインパクトを与えた。」と述べているのです。

今世界中でコロナ汚染で生存が脅かされ、経済も戦後最大の不況に陥いってきています。これを克服するには、戦前のルーズベルト大統領の経済立て直しのニューディール政策を今こそ学ぶべきと思い、また小林教授が裁判所に出した意見書の中で発見した日本国憲法前文に刻まれた平和的生存権及びこれに関連する憲法上の人権保障が今こそ必要であることを皆さんに知らせるべきと、先程のメール文の最後に記載したのです。

ルーズベルトは、金本位制からの離脱、企業の生産規制と物価の安定化、公共事業の拡大、労働者の権利獲得、社会保障の充実など進めました。経済回復は順調には進みませんでしたが、国民から歴代強く支持された大統領でした。ルーズベルトは植民地の即時全面独立までは考えておらず、同盟国委任統治を引き継ぐ形で国連信託統治が援用され、これを利用してアメリカは太平洋の島々を手に入れた問題はありました。今コロナウイルスによる世界での大不況が進みつつある中で、ケインズの経済政策とも平和的生存権とも関連していますが、多いに学ぶべきものがあると思っています。後にも述べますが韓国の人権派弁護士の文大統領も、韓国の経済立て直しにもニューデール政策を採用しています。そして地球温暖化の地球環境問題とともに、コロナ後の不況と環境の解決のためのグリーン・ニューディール政策などにも関連していると思います。

2. 反響

この私の多様な関係者に送ったメールは、反響を呼び、色々な感想のメールが私のところに来ました。その中でその当時インターネット上で発表していた岩波新書の京大准教授藤原辰史さんの『パンディミックを生きる指針―歴史研究のアプローチ』が反響を呼んでいて、数人が、私にこの論文を勧めてくれました。藤原さんは次のように述べています。東京新聞の記事ともなっています。

「今起きていることは、いずれ世界史の教科書に載るような大転換だ。危機のたび、為政者は安易な希望論や精神論を打ち出してきた。一方で、人々は思考の限界に突き当たり、感情に目を曇らされ、理性を保つのが難しくなる」と。

執筆中、藤原さんの心を揺さぶる出来事があった。「森友学園」問題で文書改ざんを強要され、自殺した財務省職員の手記が「週刊文春」に出たことだ。「最後は下部がしっぽを切られる」「なんて世の中だ」……震える手で記した文字群に「政治への不信のとどめのようなものを見た。この国に希望は託せない」と藤原さんは確信した。現金給付の政策を巡り二転三転する国の姿は緩慢に映った。「ものすごく勘どころをつかみ損ねている。誰のために政治をしているのかという思想がない」。その象徴が「ステイホーム」の要請だ。

緊急事態宣言後、初の日曜日の4月12日、シンガーソングライターの星野源さんの弾き語りに合わせ、首相が犬を抱き外出自粛を呼び掛ける動画がツイッターに投稿された。「友達と会えない、飲み会に行けない、が本質ではない。医療従事者、インフラを維持する人、食料を作り、運び、売る人……。自分の頭で物を考える政治家ならば、いまステイホームできない人のことを考える」と藤原さん。首相をフランス革命時の国王ルイ16世になぞらえる。「あの動画から伝わるのは『王は家にいる。汝ら励め』です。ステイホームが持つ構造を把握する力がないから、国民に声が届かない。トップがぐらつく政権に、この緊急事態を委ねる危機感は強い」、「ホーム」も安全という保証はない。経済基盤や育児環境は安定せず、7人に1人が貧困状態にあるこの国の子どもや、家庭内暴力を受けている配偶者にとって「家庭は牢獄ともなり得る」（藤原）からだ。藤原さんは「子どもたちにとって、給食という家庭以外に食いつなげる場所があることが、格差政策の欠陥をかろうじて補ってきた。地域の子ども食堂も開けず、生命線が長期に絶たれている状況。ステイホームを巡る問題はこれからあらわになるだろう」と語る。

この藤原さんの論文を送ってきた人の中で、Kさんという地域の市民連合の友人の一人が「児玉さんにはぜひ読んでほしいし、児玉さんが送ってきた先程のメールと同じだ」と。「危機の時代はこれまで隠されていた人間の卑しさと日常の危機を顕在化させる。しっぽの切り捨てと責任の押しつけでウイルスを制圧したと奢る国家は、パンデミック後の世界では、もはや恥ずかしさのあまり崩れ落ちていくであろう」との藤原さんの文を書き添えていました。

これを読んで私はまたまた感銘し、私は「コロナは私達人間の人間社会の本物を試している」「今までの偽物の時代から本物の時代に変えていかなければ人類は滅亡してしまう。このことが本書を書いていく中で考え見えてきて、かえって元気が出てきました」と返答しました。

まさに今本物でない偽物の政治経済が続けられて、そのためにコロナ汚染が容易に拡大して、そのことが浮かび上がって見えるようになりました。この偽物の政治経済を批判し、本物の人間の生き方を据えながら、本物の政治経済社会制度しかり、文化をも追求・検証し、コロナが迎えた、新しいコロナ時代には、この人間の本物を求めることしか生き延びられないことが明らかになっていると、私自身も強く感じ考えたからです。

本書はそのことを丁寧に、総合的に個別的にとらえて、今までの新聞記事やメールで届けられてきた多くの人たちの声や資料を紹介し、本物を求めその本物に転換するためどうしていったらいいのかを、コロナと私が対談する形で考えてみました。このようにして、今後のコロナ時代の生き残る途を考えていきたいと思います。

序章　4月から9月までのコロナの日本とその後

1. 緊急事態宣言の発令まで

(1) 今の毎日を、作家の吉村萬壱氏が的確に述べている「朝日夕刊4月22日」の記事

作家の吉村萬壱氏は日々の私達の不安や恐怖などの心理を次のように的確に描写しています。これがありのままにマイナスに働けば、後述の差別や対立、分断、権威主義依存に流れ、その根底にあながち否定できない人間の生の姿が読み取れると思います。

〔新型コロナウイルスの流行により、日々緊張感が続いている。運動不足で体はだるいのに、頭の中では絶えず何かが張り詰めている。睡眠も浅く、ちょっとした物音ですぐに目覚めてしまう。するとたちまち恐ろしい予感に包まれて、怖くてしょうがなくなる。あるいは大切な人のことを考えた途端、涙が止まらなくなる。スーパーマーケットで誰かが咳をすると、その客がどんなに遠くにいても耳はちゃんとその咳を聞き分けて、咄嗟に身構えたり、場合によってはその場から逃げ出したりもする。マスクをせずに大声で喋っている人を見ると殺意すら湧いてくる。そんなことが、最近あたり前の反応になってしまっている。

我々の感覚が今、過度に鋭敏になっているに違いない。それはあたかも、怯えた狩猟民のようである。その感覚の根底には、恐怖の感情がある。ウイルスは目に見えない。誰が感染しているかも全く分からない。すると次第に周りの人間の全てが化け物に見えてくる。それと同時に、自分もまた感染者かも知れないという疑念が湧き起こる。その恐怖に加えて、果たしてこの先、生活していけるのかという生存の恐怖がある。ある飲食店主は自らの先行きに関して「震えるほど怖い」と言っていた。それは多くの人々に共通する感覚だと思う。

今や我々は、戦争や公害病や自然災害などと同様、歴史的な災厄に見舞われた当事者としての日々を生きている。未知

の歴史的な出来事に対して当事者が怖がるのは、当たり前のことだ。この災厄は、普通の善良な人々が、ある人々にとっては化け物や捕食者となっていたようなこれまでのいびつな社会のありようを、我々に問い直しているかのようだ。「自分だけは絶対にうつるもんか」と考えると周りは化け物だらけになるが、「自分は絶対に他人にうつさないぞ」と考えるだけで、周りの化け物は人の顔を取り戻すものである」と。

今の私達の深層心理をうまく表現しています。この災厄は、普通の善良な人々が、ある人々にとっては化け物や捕食者となっていったようにこれまでのいびつな社会の「ありようを我々に問い直しているかのようだ」の部分は、さきほどの藤原さんの最後の部分「危機以前からこれまで隠されていた人間の卑しさと日常の危機を顕在化させる。危機以前からコロナウイルスに匹敵する驚異にもう嫌になるほどさらされてきたことを、今までの偽物の部分がこのコロナ期に顕在化され、私は今こそそのことに気づき、そこへの批判と闘いが、その顕在化へ多くの人への促進となり、これを克服する今後のコロナ期とその後の未来への希望の途を見出すために役たつものと考えます。逆にこの検証、取り組みがないと、今までの偽物の、特に政治分野ではファシズムの危機、権勢主義国家化が増殖されていくようになることが、後述するこの間の安倍政権またアメリカのトランプなどのポピュリズム政治家、国、政治の動きから言えます。今この本物と偽物の闘いがこのコロナ期にどこの国でも起きているのです。

（2）日刊ゲンダイの4月25日の記事

安倍政権のコロナ対策の拙劣さ、ちぐはぐさがよく分かります。私がさきほどのメールで指摘したように、偽物から本物の政治に転換しなければならないことがよくわかって来ます。私の大好きな日刊ゲンダイ風の気持ちのいいズパリの指摘です。

〔ちょうど1カ月前。3月24日に東京五輪の延期が決まる直前、政府の外出自粛要請は控えめだった。安倍は同月14日の会見で「現時点では一定程度、持ちこたえているのではないかというのが専門家の皆さまの評価」「卒業式もぜひ実施を」と訴えていた。

専門家会議だって連休直前の3月19日には「少人数のクラスターから把握し、感染症を一定の制御下に置くことができている」との分析結果を発表。気の緩みを後押ししていたではないか。安倍が当時、五輪の「完全な形での開催」に固執し、無観客か、延期か、最悪は中止かの瀬戸際だったことを忘れてはいけない。国民の命や生活を守るより五輪にかまけていたツケが今、押し寄せている。誤りを認めぬ専門家に「残念」と言いたいのは国民の方だ。」

専門家会議は8割減に向けた「10のポイント」を新たに提言。その中身たるや「オンラインでの飲み会」「筋トレやヨガは自宅で動画を活用」「会話はマスクをつけて」と自粛に協力する大半の人々にすれば「とっくにやっているよ」というものばかり。専門家会議がやり玉に挙げたスーパーや商店街での「3密」回避策についても、とうに店側は自主的な判断で客と店員、客同士の接触を減らす工夫を凝らしてきた。これでも「民間の自主的な努力だけでは足りない」との危機感からか、専門家会議は混雑時の入店制限を提言。制限して入り口に列ができればそれをさばく人手がいる。多くのスーパーにそれだけの人的余力はないのが実情だ。ただでさえ、感染リスクが高く、心無い客の罵声に耐えながら、働く従業員たちにさらなる負担を強いるのか。人々の列が密集すればクラスター化の恐れもある。結局は全ての現場の自己責任。しわ寄せはコロナ禍でも必死に働く人々に及ぶ。

1月中旬の国内初の感染確認から3ヶ月、この政権は何をやってきたのか。ＰＣＲ検査ひとつとってもデタラメだ。安倍は2月29日に「1日4000件超の検査能力がある」とし、3月14日には「3月中に1日8000件に増やす」と表明するも、3月下旬は2000件程度で推移。懲りずに安倍は4月6日「1日2万件に増やす」と豪語したが、4月中旬でも8000件ちかくにとどまる。世界と比べるとこの国の異常さは際立つ。100万人当りの検査数はイタリア約2万5600人、ドイツ約2万5100人、アメリカ約1万2500人、韓国約1万1200人だが、日本はたった1550人に過ぎない。文字通りケタ違いに少ないのだ。検査拡充による実態把握こそ、感染拡大を食い止める基本だ。検査がこれだけ不十分だと、政府は正確な感染情報をつかめっこない。真っ暗闇の中を手探りで敵と戦うのと同じである。

毎日新聞は「検査を増やし、症状が軽い陽性患者で病床が埋まり、重症者を受け入れられないという医療崩壊が起きるのを避けた」と厚労省幹部の言い訳を報じたが、この国は世界3位の経済大国だ。それでも世界の常道のＰＣＲ検査の拡充すらままならないほど、医療を脆弱化させている根本原因は何なのか。「命を預かる医療の現場にも、効率や生産性などコスト重視の新自由主義に根差した緊縮路線を持ち込んだのが、元凶だと思います」と言うのは、経済アナリストの菊池英博氏だ。こう続ける。「この7年半で安倍政権は自然増分の削減を徹底させ、少なくとも4兆円以上の社会保障費を削りました。合理化と称して医療機関の再編・統合も進め、今年度は病床削減に取り組む病院を支援する補助金として、全額国庫負担で84億円も用意しています。コロナ禍で病床がひっ迫しても削減方針をまだ撤回しないのですから、もうムチャクチャです。」

「病床不足に悩む埼玉県では300人以上の感染者が自宅待機を余儀なくされている。うち軽症だった50代男性の症状が急変し、21日に亡くなった。これでは安倍政権の緊縮路線に殺されたようなものだ。」前出の菊池英博氏はこう言った。「首相も専門家会議もテレワークの徹底に執着しますが、中小企業の進捗率は2割ほど。現状を考えれば休業補償を手厚くした方が、接触削減ははかどります。しかし、政府はプライマリーバランスを気にして補償に後ろ向き」専門家すら「向こう1年はこの流行と付き合え」と精神論だけで8割削減を目指そうとする。「既に欧州各国はコロナ対策は人道的に最優先と政治判断し、緊縮財政を葬り巨額の休業補償を実施済みです。今や先進国で緊縮を貫いているのは日本だけ。安倍政権はコロナ対策の失政を認め脱緊縮にカジを切るべきです。コロナ危機をきっかけに7年半の失政の弊害が噴出しているのに、安倍たちは決して過ちを認めようとしない」

緊急経済対策もブザマだ。3月16日に安倍は3月16日に発表すると言っていたが4月7日までズレこんだ。挙げ句に、10万円給付のドタバタで10日間が無駄に消え、補正予算は異例の組み換え。国民の混乱と失望が広がる中ついに安倍は「私が責任をとればいいわけでない。といいはなつ始末である」「責任はあるとも言えども取らないのがこの7年間の態度です。今もノラクラ逃げ続けた成功体験がすみついているようですが、この非常時には通用しません。自粛、自粛で国民に自主的対応を求めながら生じる損失を手当せず、自己責任で突き放す。こんな指導者では終息は遠のくばかりです（法大名誉教授五十嵐仁氏政治学）」

（3）緊急事態宣言

とうとう4月7日、僕ら弁護士学者らはまだまだコロナ対策として不十分でやるべきことが多くあるのではないか、その新型コロナ規制法案は、その内容も手続き的に国会のチェックも専門家の意見取り入れも不十分で、国家責任をあいまいにし、国民の権利も、国家主義化している安倍政権では大幅に制限しかねない。これを機に憲法改悪に利用しかねない恐れを懸念し、私達弁護士の一部は反対しました。しかしこの規制法案は国会で与野党多数で成立しましたが、このような批判があったため、なるべく強制罰則がない抑制的なものにした法的内容で法案を成立させ、その上で、全国に緊急事態宣言がなされました。

①その時の4月17日の東京新聞の社説を紹介します。

「すべき対策、できる努力はまだある。新型コロナウイルス感染拡大を抑え、必要な医療が提供できなくなる医療崩壊を防ぐために、それぞれの地域で、職場で、家庭で感染を防ぐ行動を選び実践したい。収束への出口が見えない苦しさを共有しながら、しかし必ず抑え込めるとの希望も共にある。政府は全国を対象に緊急事態を宣言した。7日に東京や大阪など7都道府県に宣言を出したが、対象地域から地方へ移動する人が増えるなど感染が拡大していると判断した。」とはじめに述べて、「自治体の危機感が先行として、宣言は、累計の感染者数、患者数が倍になるまでの期間、感染経路がわからない患者割合などが判断の要件だった。全国に宣言を広げるのなら政府はまずその根拠を丁寧に説明すべきだ。すでに感染経路不明者の増加に危機感を持った愛知を始め、岐阜、三重、石川、福井の各県も独自の緊急事態宣言を出した。政府は自治体の声に押される形で全国に向け宣言を出さざるを得なくなったということだろう。

宣言に基づいて、全知事には施設利用の制限や医療施設開設のための建物や土地の強制使用ができるようになる。私権制限を伴う措置は慎重に進めるよう、改めて求めたい。そのうえで地域の状況に合わせ、やるべき対応を迅速に柔軟に実施してほしい。対象地域は全国となる。政府は地域ごとのさらにきめ細かい情報を発信すべきだ。そのためには自治体との情報共有や対策の連携を担う人材を厚くしてはどうか。

宣言後の休業要請の対象範囲について政府は東京都の連携に手間取った。対策はスピードが問われる。それを忘れるべきでない。これ以上の感染を広げないために最も有効な対策は、国民の外出や移動の抑制だ。」「外出抑制を徹底したいとして、専門家は日々の人との接触を8割減らすことができれば、二週間程度で新しく感染する人を抑えられ、一ヶ月後には効果が確認できると呼びかけている。一日10人会うところを2人に減らす目安だ。人ごとと思わずできる対策を実践したい。

東京では宣言が出て一週間が経過したが、出勤する人がいる平日の人手をいかに減らすかが課題としてわかってきた。出勤の必要な人もいる。在宅勤務や時差出勤、交代勤務などを徹底したい。政府は自粛を要請するだけでは不十分だ。テレワーク導入拡大へ必要な機器購入の財政支援や働く人への休業補償など支援も拡充すべきだ。宣言が全国に及び休業する飲食店なども増える。政府は休業補償には依然として後ろ向きだ。安心して休業できれば外出抑制にもつながる。安倍晋三首相は補正予算を組み替え、一人あたり一律10万円の給付を表明した。30万円の給付案は対象が限定され効果に疑問があった。与党に押されての決断は政権の責任が問われるが、より多くの人への迅速な支援につながる。

更にやるべき対策がある。救急医療に支障が出だした。感染の広がりで医療崩壊の懸念が強まっている。東京消防庁によると、複数の医療機関から受け入れを拒否されるなど救急患者の搬送先が決まらないケースが3月、931件と前年同期と比べ約3割増えた。感染が疑われる患者の救急搬送が増えると、心筋梗塞など緊急を要する患者の治療が遅れる心配もある。救急医療の現場からは、救急医療体制の崩壊を実感しているとの声も出ている。現在、発熱などの症状のある人は、保健所が運営する相談センターを通して検査や専門医療機関での治療を受けている。だが、この方法では増える感染者に対応できなくなった。その分、救急医療にしわ寄せが来ている。しかも、感染者を受け入れる体制がないなどの理由で受け入れを拒否されるケースが出ている。

全国どこの地域でも医療崩壊は避けなければならない。どの医療機関も感染者の治療に直面すると考え、不足するマスクなどの防護具の確保を急いでほしい。政府は確保を支援すべきだ。医療の崩壊を防ぐ知恵として検査体制の強化も不可欠だ。相談電話が殺到している相談センターを通すルートだけでは不十分だ。東京では自治体や医師会、医療機関が連携し検査所や、発熱外来を設置する取り組みが始まった。感染者の検査や治療の分担が進めば、保健所や他の医療機関の負担軽減にもなる。他の自治体も参考にできる。外出の自粛は感染者を減らし、医療現場を支える、そう理解してできることは確実に実践したい。」

（4）5月4日付「日刊ゲンダイ」の「緊急事態は半永久化、なぜ長期戦になるのか」の記事

〔新型コロナウイルスの感染を封じ込める緊急事態宣言は、やはり1カ月ほど延長されることになった。1日、報道陣のぶら下がり取材に応じた安倍首相は、5月4日に決定したい。国民の協力に感謝しているが、さらなる協力をいただく以上、記者会見を開いて私から説明したいと表明。4日午後に衆参両院の議院運営委員会で事前報告後、コロナ禍をめぐる6回目の記者会見を開く見通しだ。

これに先立って開かれた政府の専門家会議は、引き続き外出自粛など感染防止対策の徹底を要請。その後の会見で、尾身茂副座長は全国の感染状況について「新規感染者が減少していることは間違いないが、スピードは期待したほどではな

い。〈対策期間は〉半年か1年か誰もわからない」と言葉を濁し、対応は長丁場になるとの認識を示した。おそらく緊急事態は半永久化するのではないか。国内感染1例目の確認から5カ月。ＰＣＲ検査はいまだ16万５６０９件〈4月30日正午現在〉しか実施されず、政府も専門家も感染の実態を把握せずことに当たっているからだ。

緊急経済対策実施に向けた２０２０年度補正予算案が審議された先月29日の参院予算委員会。国民民主党の森裕子議員が「感染状況わかんないいんじゃないですか？　そんなに検査してますか？　いま現在、一体どれくらいの国民が感染しているんですか？」と質問すると、閣僚席はシーン。新型コロナ対策本部長の安倍はあからさまにろうばいし、後列の加藤厚労相の方を何度も振り返り、落ち着きなくキョロキョロ。事務方の耳打ちを経てようやく答弁に立つと、「今の感染者数というご質問はいただいていなくてですね。これ〈質問通告〉にあるのではですね、緊急事態宣言を解除延長する……あの質問でございまして、今しておられることについては、質問の通告がされていない。ということは、まず申し上げておきたい。それはそうですよ、だってこれに書いてない。これに書いてないじゃないですか」と早口でまくしたてて逆ギレ。敵を知らず、己も知らず、どう闘うというのだろう。

「また科学的知見ナシの場当たり」で専門家会議の無責任体質にしたって、周知の通りだ。ＰＣＲ検査を待つ間に容体が急変した女優の岡江久美子さんが急逝すると、メンバーの釜萢敏氏〈日本医師会常任理事〉は「4日様子を見てくださいというメッセージと取られたのですが、そうではなくて、体調が少し悪いからといって、みなさんすぐ医療機関を受診されるわけではないので、いつもと違う症状が少なくとも4日続くのであれば、ぜひ相談していただきたい。そういうことでありました」と言い訳。厚労省が2月17日に定め、全国の医師会にも通知されたルールには、ＰＣＲ検査受診の相談ができるのは〈風邪の症状や37・5度以上の発熱が4日以上続く方〉との条件がしっかり記されているのにだ。同じくメンバーの押谷仁東北大教授に至っては、「私やクラスター対策班が参加する前に、ＰＣＲ検査の目安は出されていた。これには私は関わっていない」と自己弁護に走った。感染状況も知らないコロナ本部長、責任を押し付けあう政治家と専門家、司令塔不在の場当たり、その先にあるのは出口戦略なき自粛の長期化である。

法大名誉教授の五十嵐仁氏〈政治学〉はこう言う。「安倍政権のコロナ対策は一貫して行き当たりばったり。補正予算が成立すると、安倍首相は自民党の二階幹事長らに緊急事態宣言の延長方針を真っ先に伝え、専門家会議の議論は後付け。イベント自粛や一斉休校の要請もそうでしたが、科学的知見に基づかない思い付きの判断を相変わらず繰り返している。これでは事態を収束させられるとはとても思えない。ＰＣＲ検査件数を画期的に増やさなければ、陽性者の増減が政府の方針に左右されている疑惑もぬぐえない。安倍は「5月7日から、かつての日常に戻ることは困難だ。ある程度の持久戦を覚悟しなければならない」とも言っていたが、なぜ長期戦になるのか。韓国、台湾を見習わないのか。ＰＣＲ検査予算は「1日500回分」のタイトルで安倍が何かと見下す韓国は正常化に向けて動きだしている。ＰＣＲ検査の徹底で陽性者を把握し、トリアージ（優先順位）を活用した隔離措置で医療崩壊を防いだ結果、先月30日に新規感染者が初めてゼロになった。政府の緊急承認で増産された検査キットは引く手あまたで、企業はテレワークから通常勤務に切り替え始めたという。

ＷＨＯ（世界保健機関）にいち早く情報を提供し、警戒を呼び掛けていた台湾も防疫措置の緩和を探り始めている。世界に先駆けて中国人の入国を禁止し、入国者の隔離措置を実施。マスク増産と事実上の配給制で感染と混乱を抑え、死者は6人にとどまっている。各国がそのノウハウを学び取ろうとする中、この国は隣国の成功事例に見向きもしない。水際対策に失敗し、「医療を守る」と全力投球したクラスター潰しにも大失敗。市中感染が蔓延し、無症状感染者の診療などで院内感染が広がっている。本末転倒だ。ＰＣＲ検査を積み上げて感染実態の把握に努めるのが急務なのに、厚労省の補正予算に計上された検査費用は49億円。55万回分で1日当たり1500件だという。安倍がブチ上げた「1日2万件への倍増」を実行すれば27日で予算は底を尽き、1500回に抑えれば366日分。トコトンふざけている。

「どんどん出口を遠ざけるアジア蔑視と新自由主義」のタイトルで　高千穂大教授の五野井郁夫氏（国際政治学）は言う。「安倍首相に近い閣僚経験者のテレビでの発言にはア然としました。〈韓国や台湾はＭＥＲＳ（中東呼吸器症候群）の知見があるが、わが国は経験がないから対応が遅い〉と言うのです。弁解にもならないでしょう。百歩譲って、そうであるならば、余裕の出てきた隣国に知恵を借りるとか、支援を求めればいいものを、アジア蔑視に根差したおかしなプライドが邪魔してそれもしない。その上、効率化優先の新自由主義ムキ出しで、この状況下でも医療費削減を推し進め、公的医療機関の病床削減に644億円も費やしている。失敗を認めなければ、さらなる過ちを積み重ねるのは必至です。どんどん出口は見えなくなっていく。〝巣ごもり〟で感染者が減っても一時しのぎにしかなりゃしない。」

2. 緊急事態宣言の解除とその後

経済が逼迫して、専門家からはまだ早いのではないかとの声もあったが、政府や自治体は宣言解除に動いていきました。

（1）一部解除の際の東京新聞5月15日の記事を紹介します。

〔政府は全国に発令した緊急事態宣言を39県で解除した。月末の期待を待たず前倒しした。自粛が長引き社会経済活動の再開を迫られた形だ。だが、再流行への警戒を怠るわけにはいかない。新型コロナウイルス感染症の拡大防止に重点的な対応が必要な「13特定警戒都道府県」のうちの5県と、それ以外の34県に対しての宣言が解除された。解除されなかった地域は感染症の封じ込めに全力を挙げてほしい。解除された地域では、感染状況に合わせた感染対策と経済支援策などきめ細かい対応が求められる。自治体の地力が問われる。

基本的対処方針を検討する政府の諮問委員会には今回から、経済分野の人材も加わった。宣言の長期化で、これ以上の行動規制は経済が持たないとの危機感からだろう。感染防止と社会経済活動の両立の実現へ政府は細心の注意を払い、かじ取りをすべきだ。解除に就いて政府は、感染者数の減少、医療態勢の余力、検査態勢の確保の3つの基準を設け判断した。医療と検査態勢への対応は都道府県の役割が大きい。今のうちに強化を図ってほしい。政府の支援も引き続き必要である。

解除された地域は、これで元の生活に戻れるわけではない。感染が一段落して経済活動を再開した韓国や中国、ドイツなどでは、また感染者が増えている。世界保険機関（ＷＨＯ）は「ウイルスが消え去ることはないかもしれない」と指摘している。再流行に備えなければならないが、その際、重要なのはどんな基準でそれを判断し、どの程度の行動規制を求めるのかだ。今回政府は、流行状況によって地域を三分類する考え方を示した。流行リスクを細かく評価する点は理解するが、緊急事態の再設定の基準となる数値を明確に示さなかった。地域によって感染状況や医療体制は違うので基準は決めかねるのだろうが、地域ごとの情報提供と合わせ国民が理解しやすい基準を示す努力もすべきだ。

解除地域では、社会経済活動が再開に転じ生活の見通しを立てようとする人が増える。緩めた行動規制を再び国民に求めることは、最初に宣言を出したとき以上にハードルが上がる。国民を説得するには政府への信頼が不可欠だが、安部政権は検察庁法改正案を巡る強引な姿勢に批判が集まっている。政権の不誠実さが、感染症対策を阻害する要因になっていることを認識すべきだ。」

（2）そしてとうとう全部解除になりました。全部解除の際の5月25日の朝日新聞の記事を紹介します。

〔『教訓くみとり「次」に備えよ、緊急事態の全面解除』のタイトルで、「失われた日常を取り戻すための大きな一歩である。とはいえ、このやっかいな新型コロナウィルが消え去ったわけではない。政府、自治体、医療機関とも、この間の対応から教訓をくみとり、第2波、第3波に備えなければならない。安倍首相が昨日、首都圏と北海道の緊急事態宣言を解き、約1ヶ月半ぶりの全面解除となった。

　首相は記者会見で、引き続き人と人との距離を保つなど「新しい生活様式」に向けた国民の協力を呼びかけた。「日本型の効果検証を」と。諸外国のロックダウン（都市封鎖）と異なり、日本の外出や営業の自粛要請に罰則を伴う強制力はない。国民一人ひとりの自発的な協力に負うこのやり方で、日本はひとまず、感染爆発を避けることができた。確認された死者も約８００人と、数万人の欧米各国に比べ大幅に少ない。首相は「日本モデルの力を示した」と胸をはったが、その効果と課題については、しっかりした検証が必要だろう。また、諸外国に比べＰＣＲ検査の実施件数が少ないため、見逃されている感染者が大勢いるのではないかとの懸念はぬぐえない。

　今月末まで宣言を延長しながら、期限を待たずに順次、解除を進めた政府の前のめりな姿勢も不安材料である。医療体制などを含めた総合判断とはいえ、目安とした数値を超える地域の解除は、政治の恣意を許す余地を残しかねない。直視すべき課題は山積みである。検査で陽性と出ても入院先が見つからず、自宅待機中に急変して亡くなった事例も報告された。救急現場では患者の搬送先が見つからず、「たらい回し」のようなこともあった。発熱や呼吸困難があっても受診先が見つからない。それ以前に相談窓口の電話がつながらない、という事態も生じた。再流行に備え、まず急ぐべきは、感染の疑いがあれば速やかに診察や検査を受けられる体制を整えることだ。

　秋以降は、症状が似ているインフルエンザの流行も想定される。より多くの患者に迅速に対処しなければならない。院内感染や高齢者施設での集団感染を効果的に防ぐ方策も検討が必要だ。「国民との目詰まり」で感染拡大が止まったにもかかわらず、安倍政権への国民の視線は厳しい。朝日新聞の先週末の世論調査では、政府の対応を評価しないが57％で、評価するの倍近かった。首相への信頼感が高くなったは５％で、低くなったが半数近い48％だった。未知のウイルスへの対応に試行錯誤はやむをえないとはいえ、場当たり的で無定見にも見える政治判断に対する不満が背景にあるのではないか。

首相肝いりで全世帯に配るとした布マスクは一部で不良品が見つかり、回収作業に追われているうちに、先の店頭にマスクが並ぶ事態となった。いったん「減収世帯への30万円」と決めた現金給付は「一律一人10万円」に転換。窓口の市区町村で混乱が相次ぎ、多くの人の手にまだ行き渡っていない。国民の心に響く首相の発言も乏しかった。国会への報告は最初の宣言時こそ、自ら行ったが、その後は担当大臣任せ。記者会見では準備した原稿を読み上げる場面が多く、「肉声」はほとんど聞かれなかった。

一方で、検察の独立を危うくする検察庁法改正を押し通そうとするなど、コロナ禍で国民の求めているものが見えてこなかったのではないか。ＰＣＲ検査が増えない理由を、首相は「目詰まり」と説明したが、国民との間にも深刻な目詰まりがあるというほかない。「重み増す政治判断」で宣言前、首相が唐突に打ち出したイベント自粛や全国一斉の休校要請は、いずれも専門家に諮ったものではなかった。ところが、宣言後の対応では、その根拠を専門家の判断とし、責任を丸投げするかのような説明が目立つ。さまざまな分野の専門家の意見を総合して決断をくだす。その理由を国民に丁寧に説明する。そして結果責任を引き受ける。その政治の役割から腰がひけているようにみえる。

宣言解除後の最大の課題となる感染防止と経済回復の両立では、専門知と経済回復の両立では、専門知を叫合する政治の力量がより厳しく問われることを、首相は肝に銘じるべきだ。政府のつくる基本的対処方針に基づき、知事が休業や外出自粛を要請する仕組みについては、知事側から責任の所在が不明確との指摘が出ている。この機会に、国と地方の役割分担を整理しておく必要もあろう。

通常国会は残り３週間余りとなったが、政権は会期の延長はしない方針だ。東日本大震災が発生した11年は大幅延長を経て、事実上の通年国会となった。会期延長の障害と考えられていた東京五輪・パラリンピックは延期されている。不測の事態に備えるとともに、政府のコロナ対策を厳しく点検する場として、国会は当面、開き続けるべきである。

（3）7月2日の毎日新聞の『日本モデル』「記者の目「新型コロナ乗り切った第一波」阿部亮介の記事を紹介します。

〔新型コロナウイルス感染症で政府が社会・経済活動を制限する緊急事態宣言を解除して1ヶ月が経過した。新たな感染者は今も確認されているが、欧米より少ない死者数をみれば、なんとか「第1波」を乗り切ったというのが大方の見方ではないか。しかし、どのような要因や対策が功を奏し、逆に効果がなかったのは何か。懸念される「第2波」に備え、政府に科学的検知に基づく検証を改めて求めたい。

―実際は綱渡り水面下で暗闘―

「日本ならではのやり方で、わずか1ヶ月半で今回の流行をほぼ収束させることができた。まさに日本モデルの力を示した」安倍晋三首相は宣言解除の際、記者会見でこう自画自賛した。

日本のコロナ対策は失敗だったとする論調もあるが、国内の死者数をみれば、確かに一定程度封じ込められたといえるだろう。感染症対策の面から対策を失敗と断じるのは難しい。しかし、厚生労働省クラスター班に参加するある有識者は「何とか乗り切ったが、とてもうまくいったとは思えない」と振り返った。いろいろ対策を講じたものの結局よく分からないまましのいだ、というのが現場の実感に近い。

象徴的なのが改正新型インフルエンザ等対策特別措置法に基づく緊急事態宣言の発令と解除のタイミングだ。首相は4月7日、人との接触機会を極力8割減らすことで、「2週間後に感染者の増加をピークアウトさせ減少に転じさせることができる」と訴えた。しかし潜伏期間や検査にかかる日数から後日逆算すると、実際の感染ピークは4月1日。すでに山場は越えていた。宣言の指定や解除に際して、政府が医学的な検知から意見を聞いてきたのが、2月に設置された政府の専門家会議（座長＝脇田隆字国立感染症研究所長）だった。メンバーは感染症の専門家が多く、新型コロナウイルスをどう封じ込めるかに注力していた。

一方で、政府はウイルス対策もさることながら、経済的混乱や社会不安を引き起こされないように神経をとがらせていた。官僚が会議の「事務方」として入ると、見解や提言にたびたび「介入」した。5月1日に公表した提言案には当初1年以上、何らかの形で持続的な対策が必要になる記述があったが、官邸の要求などで「1年以上」という文言は削除された。また3月19日の提言では、欧米のような流行が起きた場合に、人口呼吸器が足りなくなるというデータの取り扱いを巡って対立があった。政府は削除を求めたが専門家が反発。最終的には提言に記載されるという経緯をたどった。

水面下で暗闘が繰り返された結果、専門家会議は「自由闊達に意見する場」から、政府が出す方針が先でそれを追認する「下請け機関」のように変容した。あるメンバーは「政府のいいように使われた」と不満を漏らし、政府との「溝」をうかがわせた。これまでの専門家会議による事後検証は十分ではない。5月29日に公表した提言で、感染者数と死亡者数が欧米に比べて抑えられた要因について触れているものの、医療アクセルの良さや公衆衛生水準の高さなどを挙げるにとどまっている。しかし、厚労省のある幹部が「医療提供体制は危機的で、いつ医療崩壊が起きてもおかしくなかった」と明かすように、綱渡りの状況だったのは間違いない。

一方、どんな対策が有効か、分かってきたこともある。5月1日の提言では、感染者集団を早期発見して接触者を追跡調査する「クラスター対策」を明記した。首相が言及した「日本モデル」はこれを指す。徹底したクラスター対策でウイルスの特徴をつかむことが可能になり、「密集」「密閉」「密接」といった3密を防ぐことが感染拡大対策の鍵となることも分かった。ただ、感染が地中に広がると、感染源を追い切れないという限界も指摘されている。

—組織の改編で官邸突出懸念も—

これから検証が進むと思われた矢先の6月24日、政府は専門家会議の廃止を決めた。メンバーを多少入れ替え、新たに「新型コロナウイルス感染症対策分科会」に衣替えし、事務局は厚労省から内閣官房に移管される。新たな会議体では今まで以上に「官邸」の理屈が優先される懸念もある。

首相は第2波、第3波の収束後に検証する意向を示し、当面は人工知能を活用した外出自粛などの効果分析に取り掛かる。しかしＰＣＲ検査数が少ないことで海外からも批判がある。一定程度感染を封じ込めることができた要因、宣言タイミングなどを第三者的な組織でより総括的に検証してはどうか。その結果を明らかにすることが、外出自粛や休業要請に応じた国民の疑問や不安の解消につながるはずだ。〕

（4）7月以降、感染増加。7月12日の東京新聞の記事。

①『**東京で最多感染者　「分析と情報公開が足りぬ」**』の記事です。

〔東京都で新型コロナウイルスの新規感染者数が２４０人を超え、過去最多となった。都は接待を伴う飲食店で自治体が積極的に検査をしているためだと説明している。不特定多数の人が広がる「市中感染」の状況にはないという判断だ。

だが、具体的な感染経路の分析や情報公開が不十分でとても安心できる状況にはない。

接待を伴う飲食店関連の感染者は約4割というが、集団検査での陽性率や客への広がりは明らかでない。感染対策の有無や、どういう状況で感染したと考えられるかについても説明がない。政府や都は、こうした飲食店での感染を強調するが、感染経路不明のケースも4割程度に上る。封じ込め対策が難しく、感染者の急増につながる可能性がある。調査をつくさなければならない。

学校や保育所などで、教職員や子どもが感染する例が出てきている。さらに広がることが内容対策を点検すべきだ。政府は重症化しにくい20～30代が感染者の約8割を占めるため、医療体制は逼迫していないという。だが、40～50代の感染が増え始めたというデータが出ている。さらに高齢者に感染が拡大しないよう、対策が欠かせない。専門家は同居の家族が会食を通じて感染が広まる可能性を指摘している。積極的な注意喚起が必要だ。感染者が増えると保健所の負担が増す。自治体は迅速に人員を強化できるよう準備を整えておいてほしい。

感染者は神奈川県など隣接の3県でも増加し、東京都の行き来に起因するものも目立っている。政府は4都県と連携して対策を講じなければならない。ただ、政府と都の意志疎通は十分でないようだ。県境を越えた移動制限の必要性についても、すれ違いが表面化した。政府は、旅行代金割引など観光支援策の一部を前倒しで22日から実施すると発表した。感染拡大の中で前倒しをするのであれば、ただ安心を強調するだけでなく、理由を丁寧に説明すべきだ。再度の緊急事態宣言が必要となる事態を避けるためにも、科学的な分析に基づいた対策を急がなければならない。〕

②毎日過去最高との記事のうち、東京新聞　7月24日の『国内感染　最多981人』の記事を紹介します。

〔まず国内で23日、新たに981人の新型コロナウイルス感染者が確認され、1日当たりの感染者は2日連続で過去最多を更新した。東京は366人で、これまでの最多だった293人を大幅に上回った。愛知は97人、福岡は66人、埼玉は64人、滋賀は17人、奈良は13人、和歌山は9人でそれぞれ過去最多となった。兵庫は35人で緊急事態宣言解除後の最多。大阪104人、神奈川53人、千葉33人だった。これまでの感染者は28097人となった。死者は北海道、埼玉でそれぞれ1人増え、累計1005人。


『各地で最多、悪化傾向に』

新型コロナウイルスの新規感染者数が23日に366人と初めて300人を上回り、過去最多を更新した東京都。100

人超えは15日連続、２００人超えは今月で10回目と感染拡大に歯止めがかからない。小池百合子知事は同日、報道陣の取材に「非常に大きな数字が出た。皆さまのご協力をさらに強めていかなければいけないという警告だ」と述べ、４連休中の外出を控えるよう改めて呼び掛けた。

新規感染者の年代別では、20代が１３９人と最多で、30代が93人と続いた。30代以下は２５６人で全体の７割を占めた。無症状者は49人。死者の報告はなかった。感染経路が不明・調査中の人は２２５人で、全体の６割超。感染経路の判明者は１４１人、会食23人、職場14人、保育園や小学校など施設内11人。入院患者は前日から48人増えて９６４人、重症患者は３人増え21人になった。軽症・無症状のため宿泊療養しているのは１６８人、自宅療養しているのは３９２人。

感染者数の急増には、ＰＣＲ検査の実施態勢拡充が背景にある。都によると、週末に体調不良を感じ、月曜日に検査を受ける人が多い。その結果が各保健所から都へ報告されるまで３日ほどかかるため、木曜日に感染者が多くなる傾向がある。20日の検査件数は過去最多の約４９３０件だった。ただ、最近では積極的に検査を受けてきた「夜の繁華街」関係だけでなく、若者に多かった感染者が40代、50代にまで拡大。重症化しやすい高齢者への感染拡大防止が急務になっている。

③朝日新聞8月13日『8月死者7月を上回る―コロナ自宅待機で重症化懸念―』

〔国内で新型コロナウイルスに感染して亡くなった人の数が８月に入って増えている。公表された死者は13日午後９時までで64人に上り、すでに７月の39人を大きく上回る。重症化しにくい若年層が感染者の大半を占めてきたが、最近は中高年に広がっている。感染者の急増で、入院先や療養先を十分確保できない地域もあり、自宅待機中に重症化する恐れもでてきた。

朝日新聞の集計によると、13日までの１週間の死者は41人。４月初旬の頃に匹敵し、前週から約１・４倍に増えた。感染者数は「第一波」を大幅に上回る。７月は１万７千人を超え、４月の１・５倍近くに達した。一方死者は７月に39人。４月の３９３人、５月の４４１人よりも大幅に少なかった。第一波では十分に検査されなかった無症状や軽症の20～30代が、感染者の大半を占めていたことが大きな理由だ。

しかし、状況は変わりつつある。東京都の40代以上の感染者は、10日までの１週間で７４２人。前週は６８５人、前々週は５７５人だった。厚生労働省によると、全国の重症者も13日時点で、２０３人と１ヶ月前の６倍となった。また新型コロナでは、症状が急速に悪化するケースがある。自治体資料などによると、７月１日～８月12日に公表された死者92

人のうち、少なくとも15人（16％）は、死亡後に感染が確認された。急変への懸念から、厚労省は、療養は宿泊施設を基本とする。ただ、全国の自宅療養者は5日時点で3千人超。病院や宿泊施設に入るのを待つ人も多く、東京都では12日現在で961人、千葉県でも119人が入院などの調整中だ。」

（5）8月29日付各紙朝刊一斉に「安倍首相退陣」

『安倍晋三首相（65）自民党総裁は28日、官邸で記者会見し、辞任する意向を表明した。持病の潰瘍性大腸炎が再発し、首相の職務継続が困難になったと説明した。安倍首相が任期途中で辞任するのは2007年の第一次政権に続き二回目。12年12月の第二次政権発足から連続在職日数が歴代最長となった政権は、約7年8ヶ月で幕を閉じる。そして安倍総理大臣は退陣してしまいました。

この記者会見でコロナ対策では「現下の最大の課題であるコロナ対応に障害が生じることはできる限り避けなければならない。この一ヶ月程度、その一心だった。悩みに悩んだが、7月以降の感染拡大が減少傾向へと、転じたこと、冬を見据えて実施すべき対応策を取りまとめたことができたことから、新体制に移行するならこのタイミングしかないと判断した」と述べています

（6）8月後半から9月初旬までの動向「毎日新聞」9月7日の記事

新型コロナウイルス感染症を巡り、6月以降の「第2波」について、政府の新型コロナ感染症対策分科会が、「ピークに達した」との見解をまとめました。3～5月の「第1波」と比べ、今の8月末迄のところ死者は抑えられています。再流行のリスクが指摘される今冬に向け、本書でも述べた新型コロナウイルスの特徴を理解したうえで備えることが求められています。

前記に述べたように、6月から新型コロナウイルスの感染が再拡大し、「第2波」が到来したと言われています。1日当たりの感染者数は6月下旬から増え始め、7月29日に1000人を突破、8月7日は過去最多の1595人にまで増えました。ただ、感染の再拡大について、政府の分科会は7月末がピークと評価していて、8月は感染者数に減少傾向がみてとれます。しかしながら9月後半にはその減少も遅くなってきています。

それでは第2波は、主に春先に感染が広がった「第1波」とどう違っているのでしょうか。

厚生労働省によると、感染者数は第1波（5月31日の直近1ヶ月）の約２５００人に対し、第2波（8月30日の直近1ヶ月）は約３万３０００人と大幅に増えました。一方、死者数は第1波の約４８０人と比べ、第2波は約２７０人と抑えられています。厚労省の専門家組織「アドバイザリーボード」によると、死亡率も第1波が７・２％、第2波は０・９％と下がっています。

　重症者化しにくい若い人たちの感染が多いことに加え、治療が以前よりは経験も豊富となり薬の投与など治療方法など医療技術も上がり、一定の効果を上げている可能性が指摘されています。また、高齢者施設のクラスター（感染者集団）の発生が第1波の時より抑えられていることも大きいようです。全国的に感染者は減少傾向にありますが、増えている地域も一部あるため、また未だ感染率感染者は高い状況で、専門家は引き続き警戒が必要な状況であることに変わりはないとみているようです。

　従来は秋から冬にかけて第2波がくると言われていましたが、前記に述べたようにすでに第2波がきて、次には第3波も予想され、冬になると今度は季節性の昨年死者数３５７１人のインフルエンザが流行します。

　収束にはまだまだほど遠く、9月20日現在、全国３００件、東京も１００件前後近く感染者が維持されており、欧米では再び上昇している国も多く、もはや世界中３１００万人以上の感染者、97万人以上の死者と、米国は７００万人近くの感染者と20万人以上の死者になっています。検査すればするほど増え無症状感染者が潜在しており不気味です。

　菅政権もＧｏＴｏキャンペーン、規制改革などに象徴されるように新自由主義をより推し進めて経済優先が先となってきているのでなおさら心配です。いつ第２次が再上昇したり3次が到来したりして、医療崩壊などになる心配もあり、万全の対応を考えていくことが大切です。

（7）10月10日の東京新聞社説「コロナ臨調報告」を紹介します。

〔民間有志のグループが、政府の新型コロナウイルス対策を検証した。「コロナ臨調報告」を出し浮き彫りになったのは大規模な感染症への「備え」の欠如だ。政府は指摘を正面から受け止め、次に備える責任がある。

検証したのは「新型コロナ対応・民間臨時調査会」。財界人を委員長に弁護士や学者らがメンバーとなり、安倍晋三前首相ら政府関係者八十三人に聞き取り調査をした。

これまでの政府の対応を検証して課題を洗い出し、次に備えるべきは明らかだ。第三者の検証は意義があるだろう。

報告書などによると、官邸の対応は泥縄で試行錯誤を繰り返したと指摘する。対策の司令塔になるべき組織は官邸にあったが、新型コロナを想定しておらず当初は機能しなかった。一斉休校は十分な準備をせずに実施を即決した。

後手に回った対応に感染拡大の一因となった欧州からの流入を防ぐ水際対策がある。専門家が対策強化を求めたが、斉休校への国民の批判の大きさに驚き、さらに対策を打つ判断が遅れた。

小池百合子東京都知事が都市封鎖の可能性に言及したことで食料品などの買い占めが起こり、パニックを恐れて緊急事態宣言を出す時期が遅れたとも指摘している。

専門家との役割分担の不明確さや、対策の中で検査態勢をどう位置付けるかの戦略のなさにも言及している。

手探りでの対応が難しいことは理解できる。だが、報告書は政府が新型コロナの感染規模や影響の大きさを想定しておらず、「最悪のシナリオ」を含めあらゆる想定を怠っていたと指摘する。

事前に準備していたら休校措置や水際対策、検査や医療態勢の拡充など、もっとスムーズに対応できたのではないか。

今回の教訓は、既に二〇〇九年の新型インフルエンザへの対応を検証した政府の報告書で指摘されているものばかりだ。必要な備えが示されていたのに生かし切れなかった政府の責任は重い。

報告書は「形を変えて、危機は必ずまたやってくる」と警鐘を鳴らしている。感染症がいつ再び社会を脅かすか分からない。政府は本気で報告書から学ぶべきだ。」

第1章　コロナと日本の経済と補償について

日本はもちろんのこと世界中で、経済の大不況に突入していることが明らかになってきています。次にその経済と補償についての記事です。

1．経済の大不況

（1）「世界」5月号「コロナショックドクトリン」で「新コロナ大恐慌にどう立ち向かうか」での立教大学金子勝特任教授の記事

〈世界中の富の集中を一層推し進め、格差を拡大させてきた。そこでトランプは、移民排外主義やナショナリズムを煽って「国民統合」を図ろうとし、世界中で国境の分断を強めてきた。ブレクジット（EU離脱）を推し進めたイギリスのボリス・ジョンソン首相も同じである。だが皮肉にも、新型コロナウイルスはその分断を加速させた。気がついてみれば、トランプやジョンソンが目指す将来の世界を一気に見せてくれたのである。もはや彼らの政策から新しい世界は創造されないだろう。他方、中国は、情報通信技術の発達によって、新型コロナウイルスを封じ込めることにどうやら成功しつつあるようだ。

これまで日本経済は石油ショック以降、大きな不況に陥るたびに、円安誘導と賃金引き下げにもとづく輸出主導で景気回復を図ってきた。だが、これまで見てきたように、今回はそういかないだろう。新型コロナウイルスの収束が見通せないことに加えて、もともと米中貿易戦争に見られるように、世界経済のブロック化傾向が逆転する見通しもないからだ。だとすれば、世界史的に起きている産業技術転換に正面から向き合い、産業革新に努めながら、対外ショックに強い内需の厚い地域分散ネットワーク型の経済に転換していくことが必要になるだろう。

しかし、そのためには、まず何よりアベノミクスがもたらす桎梏から解き放たれなければならない。アベノミクスは当初「2年で2％」の物価上昇目標を掲げたが、その目標を達成できないまま7年間も「大規模金融緩和」を続けてきた。

アベノミクスは技術開発投資をおろそかにし、国内外でM＆A（企業買収・合併）を促しながら、じわじわと産業衰退を加速させ、貿易を赤字化させてきた。その一方、日銀の貨幣供給にもとづく潤沢な資金を背景に、株価や不動産価格、とりわけ大都市圏のマンション価格の上昇がもたらされた。産業衰退で不動産以外の国内投資先が先細りになったうえ、マイナス金利でさらに追い込まれた金融機関は、海外に資金を流さざるをえなくなっていった。日銀は国債残高の46・8％（2019年9月末）を占めるまでに国債を保有してしまい、代わってETF（指数連動型上場株式投信）を買い続けるようになった。それも3月10日段階で29兆970億円も買っており、日本の株価総額の5％弱を占めるに至っている。やがてGPIF（年金積立金管理運用）を抜いて日本最大の株主になるだろう。

にもかかわらず、3月15日、日銀はETF（上場取引型金融商品）の年間購入額を倍増させ、ますます売るに売れない株を持ち続けるようになっているのだ。政策金利はマイナス金利まで下がり、国債購入は出口のないねずみ講の状態になり、日銀の株買いも思うほど効かなくなってしまったからである。おそらくバブル崩壊の本番はこれからだろう。問題は、新型コロナウイルスの影響と株バブル崩壊がどのように波及していくのかという点である。

第1は、最も直接的な経路で、約5兆円と言われるインバウンドの消費の消失である。百貨店、観光地の宿泊業や飲食業は深刻である。2019年10～12月の実質GDP（国内総生産）の落ち込みが7・1％になったが、さらに悪化することは避けられず、そこに最悪のタイミングで実施された消費税増税の悪影響もかぶさっていく。

第2に、新型コロナの影響によるサプライチェーンの途絶と貿易の縮小である。日本の貿易相手国は中国、アメリカ、韓国の順に大きいが、いずれも米中貿易摩擦や安倍政権が仕掛けた日韓貿易戦争ですでに打撃を受けている。

第3に、バブル崩壊による金融システム危機の可能性である。原油が1バレル＝20ドル台に落ち込んだが、原油安が長引いた場合、アメリカのシェールオイル企業の経営は悪化する。それは、ハイリスク・ハイリターンのシェールオイルの企業債が組み込まれたCLO（ローン担保証券）の破綻をもたらす危険性がある。日本の金融機関はCLOに多額の投資をしており、そこでもし値崩れが起きると、経営は打撃を受ける。さらに、欧州で新コロナ大恐慌が長引けば、金融システムが脆弱なイタリア、あるいはドイツ銀行などが破綻しかねず、そうなれば影響は世界的に波及するだろう。投資銀行化してきたソフトバンクグループの動向も不安要素のひとつである。さらに、東京オリンピックが延期になった影響も小さくない。インバウンドのさらなる減少は、本格的なバブル崩壊につながる危険性をはらんでいる。バブルが崩壊すれば、弱小の地方銀行や信用金庫の経営は一層苦しくなっていくだろう。

新型コロナウイルス対応も似たパターンをたどっている。安倍政権は、東京オリンピックのために検査、追跡、隔離という基本的作業を怠り、危機を小さく見せ、ごまかそうとしてきた。その責任を逃れるために、自作自演で「非常事態」を作り、「やってる感」を演出するだけであった。ＰＣＲ検査を早期に実施し、感染者を適切に隔離し、予防や重症対策などを速やかに講じるべきだったが、クルーズ船での集団感染の際の対策も含め、ニューヨーク・タイムズ紙やＢＢＣなど国際的に日本政府の感染症対策の甘さへの非難が寄せられたが、反省の声は聞かれない。３月７日の記者会見で、安倍首相は検査数を４０００に増やすと言明したが、その後も検査数は伸びず、専門家会議は世界的に見て圧倒的に少ない検査数データのまま「持ちこたえている」と宣言した。「一斉休校」の効果も実証できないままだった。

隠せば隠すほど問題は大きくなる。とくに東京都は、３月16日時点で、「帰国者・接触者相談センター」に２万８０００人が相談に来たが、たった３６４人にしか検査しておらず、99％が拒否されているのが実態である。その結果、感染経路が不明な感染が拡大してしまった。今こそ、失敗した素人政治家の「緊急事態」ごっこを止めさせ、抜本的な新型コロナ対策をとることが喫緊に求められている。そこが来る新コロナ大恐慌を克服するための、一丁目一番地である」

（２）東京新聞６月25日『世界経済「類ない危機」マイナス４・９％に下方修正　ＩＭＦ20年予測』の記事を紹介します。

〈国際通貨基金（ＩＭＦ）は24日、２０２０年の世界経済の成長率が前年比マイナス４・９％（物価変動を除く実質）になるとの見通しを発表した。４月時点ではマイナス３・０％を予測し、１９３０年代の大恐慌以来の不況になると厳しい見方を示していたが、さらに１・９ポイント引き下げた。日本の成長率はマイナス５・８％に落ち込むと予測した。ＩＭＦは「他に類を見ない危機。回復も不確実だ」としている。新型コロナウイルスの世界的大流行で、多くの国で消費の落ち込みが想定を上回ったのが響いた。

世界経済は４～６月を底に回復へ向かうが、感染を恐れて支出を抑えるなど回復は緩慢なペースにとどまり、21年の成長率も0・4ポイント下げ、プラス5・4％とした。20年の成長率は先進国がマイナス8・0％、ユーロ圏はマイナス10・2％とさらに厳しい。中国はプラス1・0％を見込む。消費が想定より冷え込んだのは、都市閉鎖などで働けなくなった世帯の所得が減ったためだ。また旅行需要がほぼ消え、世界の貿易量が前年比12％減るのも響く。今年後半も社会的な距離を取るなどの感染対策が続くため、企業の生産性が下がるほか、倒産の増加も経済に長期的な傷を残し、回復の足取りは鈍くなる。

ＩＭＦは低所得の労働者へのしわ寄せを懸念し、「在宅勤務の選択肢がない低スキルの労働者は特に深刻な打撃を受けた」と格差拡大を防ぐ対策を求める。先進国では21年に4・8％のプラス成長を見込むがそれでも国内総生産（ＧＤＰ）はコロナ前の19年の水準を4％下回る。また感染拡大が再発し、経済活動を再び制限せざるを得ない懸念もぬぐえず、「経済の下方リスクは依然として大きい」と警戒している。〕

(3) 今の日本の経済状況を各経済指標を見ながら見ていきます。

①4月5月の経済指標の一部を紹介します。

〔・東証1部上場企業の2020年3月期決算発表が、5月14、15日にピークを迎える。ＳＭＢＣ日興証券が13日までに発表した652社（全体の48・7％会計基準が異なる金融業を除く）を集計したところ、最終（当期）利益の合計は前年同期比20・1％減。新型コロナウイルスの影響が直撃した第4四半期（1月～3月）は74・9％減と急激に悪化し、内需・外需産業とも総崩れの様相になった。

・「トヨタ自動車は12日発表下2021年3月期連結決算（国際会計基準）の業績予想で、本業のもうけを示す営業利益が前期比で約2兆円（79・5％）減の5000億円と大幅な減益になるとの見通しを明らかにした。新型コロナウイルスの世界的な感染拡大で、販売が大きく落ち込み、売上高は19・8％減の24兆円になると見込んだ。最終（当期）利益は、現時点で算定が困難として「未定」とした。

・「総合生活開発研究所が4月1～3日に労働者約4300人に行った調査では、新型コロナの影響で契約社員の10・6％が「雇い止めにあった」と回答。アルバイトの56・8％、派遣労働者の52・7％が「収入が減った」と答えた。2008年のリーマンショックでは、製造業を中心に「派遣切り」が相次ぎ、08年10月から09年6月の間に約22万人（厚生労働省の09年６月調査）の非正規労働者が仕事を失った。今回は、飲食や宿泊など幅広い業種が大きな打撃を受けている。連合総研の新谷信幸事務局長は「休業、自粛が長期化すれば、リーマンショック時以上に雇用や労働に悪影響が広がる。」と早急な国の対策を求めている。〕

②朝日新聞　５月19日の記事です。

〔影響が本格化した４月以降、景気は坂道を転げ落ちている。政府は４月に緊急事態を宣言。出勤者の「最低７割削減」など活動の縮小を求め、外出自粛や休業が一気に各地に広がった。苦境はサービス業だけでなく、製造業にも広がっている。その柱である自動車産業では各社が国内の一部工場を休止し、大幅な減産が続く。国内外で販売が急速に落ち込んでいるためだ。

経営者からは「コロナのインパクトはリーマン・ショックよりはるかに大きい」（トヨタ自動車の豊田章男社長）といった厳しい声が相次ぐ。幅広い業種で雇用悪化への懸念も高まっている。有効求人倍率は３月に３年半ぶりに１・３倍台に下落。こうした状況で１～３月期のＧＤＰは、個人消費や輸出を中心に主要な項目が、すべてマイナスとなった。内需、外需ともに「総崩れ」で景気の支え手が見当たらない状況だ。小売店や飲食店の休業などで多くの人が実質的に仕事を失っているとみられ、３００万人前後が失業するとの予測もある。〕

③朝日新聞　７月８日　「消費支出下落最大」16・２％減

〔宣言解除後は回復傾向総務省が公表した５月の家計調査では、２人以上世帯の消費支出は25万２０１７円で、物価変動の影響を除いた実質では前年同月より16・２％少なかった。下落幅は４月の11・１％から広がり、比較可能な２００１年以降での最大をさらに更新した。緊急事態宣言に伴う外出自粛で、宿泊や交通など幅広い分野の支出が激減したほか、10連休があった昨年からの反動も押し下げ要因となった。〕

④毎日新聞７月31日　『成長率マイナス４・５％リーマン超え最悪　今年度見通し』

〔政府は30日、経済財政諮問会議を開き、２０２０年度の国内総生産（ＧＤＰ）成長率が、物価変動の影響を除いた実質で、前年比マイナス４・５％になるとの見通しを示した。新型コロナウイルスの感染拡大の影響で、１月に示したプラス１・４％から大幅に下方修正した。リーマン・ショックがあった08年度（マイナス３・４％）を超え、統計がさかのぼれる１９５５年度以降で最大のマイナス成長になる。〕

⑤毎日新聞8月1日『財政収支7・3兆円　赤字』

〔内閣府は31日の経済財政諮問会議で、中長期の経済財政に関する試算を示した。財政健全化の指標となる国と地方の基礎的財政収支（プライマリーバランス＝PB）について、高めの経済成長を前提としたシナリオでも、2025年度の赤字幅見通しが7・3兆円程度（前回1月試算は3・6兆円程度）に倍増する。政府が揚げる25年度のPB黒字化目標の達成は更に厳しくなり。目標そのものの是非が改めて問われそうだ。〕

⑥朝日新聞8月18日　朝日新聞『GDP戦後最悪の下落―4～6月年率27・8％減―』

〔コロナ危機が本格化した4～6月期、日本は欧米と同様に過去最悪のマイナス成長に陥ったことが確認された。内閣府が17日公表した国内総生産（GDP）の1次速報は、物価変動の影響を除いた実質（季節調整値）で、前期比7・8％減、年率換算では27・8％減だった。経済活動の再開が進む足元では、反動で持ち直しが見込まれるものの、感染の再拡大が重しとなり、世界的に低迷が長引く懸念が強まっている。

国内でも、企業の業績や雇用などの悪化が広がる恐れがある。マイナス成長は3四半期連続。コロナ禍の影響が国内でも本格化した4月～6月期は。GDPの減少率が急拡大し、「100年に1度の危機」とも言われたリーマン・ショック後の09年1月～3月期（年率17・8％減）や、石油危機後の1974年1月～3月期（13・1％減）を大きく上回った。統計上比較可能なのは1980年以降だが、事実上、戦後最悪の落ち込みだ。実質GDPの実額（年換算）は485兆円に減り、12年10～12月期以来、7年半ぶりに500兆円を下回った。日本経済の規模は、東日本大震災の水準まで縮んだことになる。

―コロナ禍　消費・輸出急減―

〔記録的な落ち込みの最大の要因は、GDPの半分以上を占める個人消費だ。緊急事態宣言が4～5月に出て外出自粛や休業が全国に広がり、レジャーや外食をはじめ幅広い分野で支出が抑えられた結果、過去最悪の前期比8・2％減となった。もう一つの内需の柱である企業の設備投資も1・5％減と振るわなかった。一方、外需も大幅減だった。輸出は18・5％減に急落。自動車など日本製品の需要が減ったほか、統計上輸出に含まれる訪日客消費の「蒸発」も響いた。輸入は0・5％だった。

今回のGDP速報では、コロナ禍が日本経済に与えた打撃の大きさが浮き彫りになったが、感染状況が深刻な欧米の落ち込みは日本を上回る。4～6月期に米国は年率約33％減、ユーロ圏も約40％減を記録。外出禁止や営業・操業の停止など、消費や生産を強制的に止める厳しい措置をとったことが響いた。1～3月期にマイナス成長に陥った中国は一足早くプラスに転じたものの、回復の勢いは鈍い。リーマン・ショック時のように世界経済を引っ張る状況にはなく、世界同時不況の様相となっている。〕

⑦東京新聞10月20日「こちら特報部」の「コロナ禍長期化、解雇や雇い止め」の記事

〔総務省の労働力調査によると、八月の完全失業者数は七ヵ月連続増の二百六万人。完全失業率（季節調整値）も前月比0・1ポイント上昇の3・0％と悪化が進んでいる。3％台は二〇一七年五月以来。パート、契約社員など非正規労働者は、雇い止めや契約更新されなかった人が多かったとみられ、前年同月より百二十万人少ない二千七十万人と、六ヵ月連続減少した。同省労働力人口統計室の担当者は「コロナの影響が大きい」と話す。

厚生労働省の調べでは、コロナにより解雇・雇い止めにあった人は今月九日時点で六万五千百二十一人（見込みを含む）。業種別では製造業が一万一千六百二十三人と最多、次いで飲食業の一万二百七人に上る。

非正規の解雇・雇い止めは五月下旬～今月九日で三万一千九百三十四人。ただ、これは全国のハローワークなどを通じて集計した数でしかなく、労働問題に詳しいNPO法人「POSSE（ポッセ）」の今野晴貴代表理事は「実際は十万人を超えている恐れがある」とみる。

今野さんによると、非正規のうち三割強が雇用保険に未加入。失業手当が受給できないため解雇されてもハローワークに行かない人が多く、実態をつかみにくいという。「無給のまま休業が続き、実質的に解雇されたパート従業員もいる。統計上は見えないこうした失業者を含め、非正規の雇用悪化は深刻だ」と分析する。

また、東京商工リサーチによると、今月十九日時点の新型コロナ関連の経営破綻（負債一千万円以上）は六百件。同社が実施したアンケートによると、八月時点で前年同月より減収だった企業は回答した七千三百十社の八割に上る。コロナ禍が長引いた場合、自主的に事業をやめる「廃業」を検討するとしたのは大企業で1・2％、中小企業は8・8％あった。単純計算で、国内の中小企業約三百五十八万社のうち三十一万社超に廃業の恐れがあることになる。

同社の友田信男・情報本部長は「今後、さらに雇用情勢が悪化する可能性は高い。三ヵ月など短期で契約更新する派遣社員をはじめ、年末に契約が終了する非正規労働者は少なくない。中小企業を中心に、年度内に人員整理を済ませようと

する動きもある」と指摘。〇八年九月に起きたリーマン・ショックでは、〇九年以降も失業率が悪化したという。〕

2. 日本政府の休業補償対策

次にこのような中での日本政府の休業補償対策について述べていきます。

(1) 東京新聞4月14日「こちら特報部」での経済再生相「諸外国にない。やる考えない」の記事

〔11日、緊急事態宣言の対象となった七都府県の知事らとテレビ電話会談した西村康稔・経済再生担当相は、休業補償として一定割合の損失補填をしている国は「見当たらない」と発言した。7都府県の知事らは休業要請に応じた事業者らに、国が補償するよう求めている。

全国知事会長の飯泉嘉門・徳島県知事も同日、テレビ会談で西村氏に「国の責任で支援の在り方を工夫してほしい」と要望した。だが、西村氏は翌日に出演したＮＨＫの番組で、休業補償について「諸外国でも見当たらず、我々はやる考えはとっていない」と重ねて突っぱねた。一方で、東京都は休業要請に応じた事業者に独自の「協力金」を支給することを発表している。神奈川県は「休業要請と国による補償はセット」としていたが、東京と一体の対策が必要として追随。黒岩祐治知事は政府の緊急経済対策での一兆円の自治体向け臨時交付金を財源に、協力金を模索するとしている。

都以外の六府県は財源の確保が難しく、協力金のような制度を設けていない。麻生太郎財務相は10日の会見で「東京はそれで払うだけの、いわゆる資金が多分、東京都は持っているだろうね。ただ、他の県でそれやれるのかね」と、人ごとのように語った。国が「補償しない」と言って休業を求めれば「補償なき休業要請」ではないのか。そこへ厚生労働省が反論した。12日深夜、ツイッターに「インターネットニュースサイトで『補償なき休業要請』との報道があり、外出自粛や出勤者の最低7割減は、休業補償がないと不可能だと報じられていますが、正確ではありません」と書き込んだ。続けて「事業主が労働者を休業させた場合に支給される休業手当には、政府が助成をしています」などとツイートし、雇用調整助成金の拡充を強調。中小企業や個人事業主向けの給付金も準備中と書き込んだ。

休業補償を西村氏は「やらない」とし、厚労省は「ないというのは不正確」という。真意が分からない。だが、こうした安倍政権の姿勢には身内の自民党からも強い批判がある。「百点満点で点数を付けるなら10点。ほとんど国民の期待に

沿うものではなかった」。そう非難するのは安藤裕衆院議員（京都６区）。党内の若手らでつくる議員連盟「日本の未来を考える勉強会」の会長だ。

海外からは手厚い補償を行うケースが聞こえてくる。フランス政府は商店や零細企業で「一時帰休」となった従業員に対し、給与を手取り分で84％補償する。英国も勤務先の休業などで休職状態の従業員に月給の８割を補償。米国は大人一人当たり１２００ドル（約13万円）を給付する方針で、トランプ大統領は「典型的な４人家族は３４００ドルを受け取れる」と強調する。それに、西村経済再生相は、事業者に対する休業補償を行う例は「（世界で）見当たらない」と言うが、似た取り組みを以前から行う国がある。ドイツだ。みずほ総研の吉田健一郎上席主任エコノミストは「数10年以上前から『時短勤務手当』という制度があり、企業に勤める人たちが不況などで時短勤務になった場合、削減された給与の最大67％が補填され、雇用主には政府が費用を出す。従来は従業員の３割が時短勤務になった場合などに適用されたが、新型コロナ対策でこの条件が緩められ、一割の時短勤務で適用されるようになった」と語る。

翻って日本がどうかと言えば、どうにも心もとない。何についても対応が遅いのだ。厚労省によれば、一斉休校の際の休業補償は今月３日までに１５００件の申請があったが、支給が決まったのは12件だけ。千葉商科大の田中信一郎准教授（政治学）は「感染防止はスピード感が大切なのに、政府は全く理解していない」と訴え、「政府は五輪延期の前から危機感を持っていれば当初予算に関係費用を盛り込み、もっと早く給付を始められた」と非難する。

（２）４月９日の東京新聞「こちら特報部」の『本当の困窮者をこれで救えるのか』の記事

〔緊急経済対策の総額は世界一と１０８兆２０００億円。リーマン・ショック後の２００９年４月に打ち出した56兆８０００億円を大きく上回る。感染終息までの緊急支援と、終息後の観光や飲食、イベント支援といった消費喚起など２段階で取り組む。ただ、政府が国費などから財政支出するのは39兆５０００億円。民間が拠出する42兆円程度や、企業の税金や社会保険料の支払いを１年間猶予することで見込む26兆円なども加わっている。

「消費喚起は無駄だろう」と切り捨てるのは慶応大の小幡績准教授（行動経済学）。「生活基盤が崩壊した東日本大震災や、金融機関が破綻したリーマン・ショックと異なり、感染への恐怖と行動制限で一時的に消費が縮小しただけで、終息すれば自然に戻るとみる。本当に困っている特定の業界の事業者と従業員を出さない手だてを打つのが第一。失業してしまった人には手厚くケアする。本来は対象でない非正規労働者やフリーランスに雇用保険適用を拡大し、収入を補償してはどうか」。

コロナ禍は世界共通の危機。欧米各国も打撃を受けた労働者や事業者の救済に乗り出している。米ブルーバーグ通信によると、スペインは一定額を政府が支給する「ベーシックインカム（最低所得補償）」の導入を検討し、担当閣僚ができるだけ速く実現したいと語った。また、地元紙は政府関係者の話として、給付額は最低月額賃金950ユーロ（約11万2000円）の半分弱の440ユーロ（約5万2000円）を考えていると報じた。日本貿易振興機構（ジェトロ）などによると、他の国も巨額を投じて国民の生活を支えようとしている。英国は全事業者を対象に、休業を余儀なくされた従業員の給与の80％を、1人当たり月2500ポンド（33万7千円）を上限に3ヶ月補償。イタリアは正規労働者の給与を最大80％肩代わりし、観光業や自営業者などに月600ユーロ（約7万1千円）を最長3ヶ月支給する。米国は所得制限付きの現金給付を実施。大人に最大200ドル（12万9千6百円）、子どもに500ドル（5万3千4百円）を支給する。

これに対し、日本の経済対策はどうか。立命館大の高橋伸彰名誉教授（日本経済論）は「政府が緊急事態宣言と一緒に休業要請をしないのは、補償ができないから。しかし、本気で終息させるつもりなら、一時的な手当でなく、損失に見合う分を補填する仕組みにしないと意味がない」と疑問を呈す。その際の財源は美和氏、高橋氏とも赤字国債の発行を想定する。美和氏は「日銀に国債を買い入れる余力はある」とみる。高橋氏は「新型コロナは100年に1度の危機。これまでのような無駄な公共事業などにつぎ込むためではなく、100年かけて返す覚悟でコロナ対策の国債を発行するべきだ」と強調している。」

（3）朝日新聞　5月28日の、一次コロナ被害読み間違えの、政府2次補正予算案決定の社説です。

〔安倍晋三首相が「世界最大級」と誇った前回の補正予算の成立から約1ヶ月。新型コロナウイルスの影響を読み間違え、政府は再び巨額予算で追加対策を行う必要に迫られた。前回の対策もトラブル続きで、いまだに支援を受け入れていない人も多く、不満が高まっている。1次分の不満を穴埋め「GDP（国内総生産）の4割にのぼる世界最大の対策」。5月27日午前、安倍晋三首相は官邸で与党幹部を前に、2次補正予算案について合わせて230兆円を超える対策規模を誇った。だが、当初、政府は2次補正予算で巨額の経費を積むことには消極的だった。政府は、減収世帯への30万円給付を取りやめて、10万円一律給付を盛り込んだ1次補正予算案を4月30に成立させたばかり。早々に大規模な2次補正に乗り出すことは、1次補正の不十分さを自ら認めることにもつながりかねなかった。だが、対策不足との不満は日に日に増した。自民が旗を振った家賃支援策は与野党が提案を競い、アルバイトなど収入が途絶えた学生らへの支援を求める動きも学生団体から広がった。検査など医療分野への手当を求める声も尽きなかった。10万円給付など1次補正の支援策が迅速に行き渡らなかったことも不満に拍車をかけた。

与党内では「コロナでこけたら選挙に勝てない」と焦りの声もあがった。1次補正の成立からわずか半月の5月14日、安倍首相は2次補正の編成を指示することになった。不満に押される形で、与党や関係団体との調整では予算案決定前日まで額が積み上がり、与党議員からは「ごねれば出る打ち出の小づちみたいだ」との声も漏れた。使いみちが決まっていない予備費まで10兆円も計上され、野党から「知恵もなくただ積んだだけ」と批判もあがる。ある自民党議員は2次補正の中身について「困っている人たちの補償ばかりで、本来は1次でやっておく話だ」と失敗を認める。2次補正予算案が成立し、執行されるのは6月中旬以降になる。大急ぎでまとめた対策だけに、執行が滞る懸念も残っている。遅い給付いまだに届かず「なぜやることなすこと遅いのか」。5日の首相会見ではこんな質問があった。安倍首相は手続きのIT化などが十分に進んでいないことを謝罪。審査では性善説に立つなど「思い切って発想を変える」としたが、どこまで実行できるのかは不明だ。政府は第一次補正予算でも困っている人にお金を配ると約束していたのに、まだ届かないケースがめだつ。縦割りで情報を共有せず、緊急時にも手続きにこだわる「役所の論理」が優先されている。

象徴的なのが安倍首相が全世帯に配ると打ち出したアベノマスク。届いたのはまだ2割ほどで、厚生労働省がめざす5月中の配布は難しい。郵送費を含め約466億円かけることも疑問視されている。

一律10万円を配る特別定額給付金は、26日時点で1388の市区町村が給付を始めたが、実際に届いた件数はまだ少ないとみられる。マイナンバーカードを使ったオンライン申請では問題が続出。東京都荒川区や高松市など13自治体が、オンライン申請をやめている。働き手を守るはずの雇用調整助成金でも手続きは大変だ。相談件数は38万件を超えるのに申請は約5万1千件、支給決定は約2万7千件（26日時点）。厚労省は20日にオンライン申請も始めたが、1時間ほどでシステムトラブルがわかり受付けを停止した。再開のめどは立っていない。第二次補正予算では、休業手当をもらえない中小企業の働き手がハローワークに直接申請ができるようになる。窓口は人手不足もあって混乱気味で、十分対応できるのか心配される。中小企業や個人事業者向けの持続化給付金もスムーズではない。経産省は申請から2週間程度で支払えるとしていたが、多数の企業が手続きを待つ。札幌市の保険代理店経営者は1日に申請したが、27日時点で払われていない。コールセンターに100回以上電話したがほとんどつながらなかったといい、「給付のめどすらわからず本当にこまっている」という。フリーランス（個人事業主）の一部にも対象が広がるが、システム準備に時間がかかり、受付開始は6月中旬の見込み。

収入が途絶えたり、大幅に減ったりしている舞台俳優や非常勤講師は「早くもらいたいのに対応は遅い」と嘆く。政府系金融機関からの融資を待つ企業も多い。日本政策金融公庫と商工組合中央金庫には、新型コロナ関連で計約52万件の融資の申込みがあるが、決定は6割ほどだ。財政悪化　加速懸念、麻生太郎財務相は27日の会見で、「極めて異例な形で、大きな危機が来ている。覚悟を決めて日本経済を守り抜く」と強調した。巨額の借金頼みの経済対策は、景気の急速な落ち込みをどこまで補えるのか。今回の2次補正の効果について、野村総研の木内登英氏は、国内総生産（GDP）を1・4％押し上げると試算する。1次補正の分と合わせると、2・7％程度になる計算だ。エコノミストの中では、4～6月期の実質成長率がリーマン・ショック後に記録した年率17・8％減を上回る落ち込みとなり、20年度通年でも5％前後大幅マイナスに陥るとの見方が多い。木内氏は「セーフティーネットの観点では相応の役割を果たしても、景気対策としての効果はかなり小さい」と指摘する。

経済活動が成約される状況が長引く中、専門家からは注文が相次ぐ。ニッセイ基礎研究所の矢嶋康次氏は「長期戦に向けて手を打ったとは言えるが、政策のスピード感はもっと上げるべきだ。手続きなどのデジタル対応は何より急ぐ必要がある」と話す。一方、財源の確保が置き去りにされ、財政悪化が加速することへの懸念も高まっている。国と地方を合わせた長期債務の残高も強まっている。国と地方を合わせた長期債務の残高はすでに1100兆円を超える。政府は基礎的財政収支を25年度までに黒字化する目標を掲げてきたが、「見直しは避けされない。事態が落ち着けば、負担増の議論もすべきだ」（大和総研の神田慶司氏）との声が上がる。財政健全化が遠のけば、国際市場などで日本への信認が揺らぎかねない。政府は目先の危機対応に追われるが、収束にこぎつけた後には、重い宿題に向き合わざるを得なくなる」と。

第2章　世界のリーダーシップとコロナ対策とその結果動向

世界のリーダーシップと各国のコロナ対策とその結果動向を比較してみると、人間の命を大切にする本物の政権か否か、そして、人間の生命を大切にして誠実さを持って対処している政権ほど成果を上げていることが次第にわかってきました。まず世界の4月ころからのコロナ対策を紹介します

（1）『非常時のリーダーシップとは』のタイトルで、4月24日の東京新聞は「こちら特報部」で世界全体のコロナ対策を比較して、次のように指摘しています。

〈五輪イヤーとして迎えた今年の初め、共同通信の世論調査で安倍政権の内閣支持率は49・3%に達した。3月半ばでも約半数が支持したものの、そこから逆風が強まった。「オーバーシュート（爆発的患者増）」「ロックダウン（都市封鎖）」といった言葉が広まりだした同月下旬に45・4%になり、4月10～13日の調査で40・4%に減った。

一方で、各国首脳の支持率は上がっている。企業や自治体にコミュニケーション戦略をアドバイスするコーンサルタントの岡本純子氏が調べたところ、イタリアのコンテ首相の3月の支持率は77・1%と、2月から27ポイント上げた。英国のジョンソン首相は3月下旬で55%になり2月比13ポイント増。フランスのマクロン大統領も3月中旬に51%を記録し、2月から15ポイント伸ばした。いずれも感染が急拡大し、多数の死者を出した国であるにもかかわらずだ。

欧州以外も同様。オートラリアのモリソン首相の4月の支持率は、3月から18ポイント増の59%。韓国の聯合ニュースによれば、文在寅大統領も2月末に42%だった支持率が4月半ばに59%まで上がった。特に目を引くのがドイツのメルケル首相の支持率だ。3月下旬に、同上旬から11ポイント増の79%になった。

かねて論理的と評されてきたメルケル氏は「新型コロナの対応でも自分の言葉で語り、国民に寄り添う姿勢を見せてきた」（岡本氏）その演説は各国からもたたえられている。「第二次大戦以来、最大の難局」と危機感を鮮明にし、「政治的

決定を透明化し、説明することで行動の根拠を示す」と宣言。共産主義国だった旧東ドイツで育った経験を踏まえ「（外出制限などは）移動の自由を苦労して勝ち取った私のような者にとって、絶対に必要な場合にしか正当化されない。しかし今、命を救うために不可欠だ」と訴えた。一般的に、有事に国のトップの支持率は上がるとされる。１９７０年代に、米国の政治学者ジョン・ミューラー氏が提唱した「ラリー・ザ・フラッグ効果」といわれる考え方だ。「国難では国旗の下に集結するよう、リーダーに支持が集まる。不安を抱く国民は自分たちを守ってほしいと思い、その役割を担うリーダーへの支持を強める。団結や連帯が必要とも思い、象徴となるリーダーに期待を寄せる」（岡本氏）

支持率を下げたのは、感染者が４万６０００を超えたブラジル。４月初旬の世論調査39％がボルソナロ大統領の対応を「悪い」「ひどい」と評価し、３月より悪化した。新型コロナ感染症を「ただの風邪」と呼ぶなど、対策を軽視してきた手法に批判が集まっている。世界最多の84万人以上が感染した米国のトランプ大統領も、３月上旬まで「米国民のリスクは低い」「暖かくなればウイルスはなくなる」と楽観論を繰り返していた。感染者が急増すると、中国からの入国制限に当初反対していた世界保健機関（ＷＨＯ）を「中国寄り」と言い始め、拠金を停止すると表明。自らへの批判をＷＨＯの責任に転嫁する姿勢を強めた。４月の支持率は43％と、３月下旬から６ポイント下がった。

調査会社「日本リサーチセンター」（東京）によると、オーストリアに本部置く「ギャラップ・インターナショナル・アソシエーション」が、30カ国・地域の約２８００人に聞いた世論調査でも、米国民の見方は厳しい。「自国の政府はコロナウイルスにうまく対処しているか」との問いに、「とても思う」「思う」と回答したのは42％にとどまり、27位だった。日本政府への評価はさらに低い23％で、28位。その理由を元鳥取県知事の片山善博・早稲田大大学院教授（地方自治論）は「政策の理念が全く見えない。ピントがずれている」と分析する。迷走ぶりを象徴するのが、４６６億円をかけた「世帯ごとに布マスク２枚配布」と「全国民に一律10万円給付」。布マスクは、安倍首相が「月６億枚以上（マスクの）供給を確保する」と強調しながらできなかったため、考案したとみる。一律10万円も、減収世帯に30万円給付する案が「条件が厳しすぎる」と反発を受けて転換するなど、思いつきぶりが際立つとする。片山氏は「評判が良さそうなことをやろうという姿勢で、危機の本質を見抜いた対策を打てていない。国のリーダーは組織をうまく動かして自治体や企業と連携することも求められるのに、安倍首相に期待するのは難しい」と切り捨てる。」

（2）今述べてきたメルケル首相のドイツの取り組みについて、そこに住んでいる日本人の生の声

これは「コロナ危機の渦中にて」の私の関連平和団体のメールにきていた「ベルリン便り」です。ドイツと日本の大きな違いがわかります。昔ドイツの質の高い生き方を埼玉大学の暉峻淑子さんの岩波新書の本を読んで感動したことがありますが、世界中で日本一をと叫んでオリンピックの延期も強引に進めた国の首相や都知事との、人間性の違いの大きいことがわかります。またそこに住んでいる人たちがいかに幸せであるかも。まさしく本物のリーダーか、我が国のような偽物のリーダーかを以下に紹介します。

〔政府の対応をメルケル首相が先週水曜日に国民に呼びかけた。「事態は深刻である、戦後未曾有の国難である」と前置きした。そして「ドイツは民主国家である。この国難を克服するには国民の参加と協力が絶対必要であるから、ぜひ自覚して、責任ある行動をとってほしい」と訴えた。「政府としても科学者の提案を取り入れて、国民の被害を少なくするように最大限の努力をする。そしてこれらのプロセスをオープンにする」と約束した。国民はこの率直なアッピールを好感を持って受け止め、厳しい自粛ルールを守っている。憲法が保障する基本的人権を大幅に制限するのだから、国民が賛成しない限り、大問題になるだろう。しかし野党からも抗議の声は聞かれない。

また政府の補償について仕事がなくなった企業には、従業員に賃金補償として元の給料の60％、子供がいる場合は67％を支給される。これでは足りないという場合には、また他でバイトしても構わないし、さらに支援を仰ぐことができる。この間は社会福祉のための年金、健康保険、失業保険料金なども代替される。クレジットの支払い延期、店舗の賃貸費を払わなくても解約されないなどが約束された。医療関係、介護関係、スーパーのレジ係、輸送トラックの運転手などにはリスク手当ボーナスとして一時金１５００ユーロ（18万円）が支給される。中小企業には３ヶ月分の支援金としてとりあえず9千ユーロ（１１０万円）、10人以上の企業には1万5千ユーロ（１８０万円）無利子クレジットとして支給される。

▼医療体制　ドイツの感染者の数は8万5千人を超えた。だが、医療関係者の発言によると、まだ集中治療用のベッド数は足りているそうだ。最初の段階で2万5千人用のキャパシティがあると言われ、今週になり2万8千人まで拡張された。感染者の20％が入院の必要な患者になると言われていたが、イタリアの状況を見て、拡張された。しかし、現在まで

に、感染者の1%が集中治療の必要な重病患者として入院してきたので、ドイツの医療体制にはまだ十分余裕があるということで、今週はじめからイタリアとフランスから重病人がヘリコプターなどで運び込まれてきている。

▼**連帯の輪**　市民の間の連帯としては、多くの若者や隣組がグループを組織して、高齢者のための買い物支援をしている。夕方6時、あるいは7時に窓を開けて、医療介護関係者、スーパーのレジ係、長距離トラックの運転手など、いわゆる最低レベルの社会生活の維持に従事している人々に、感謝の拍手をしている。さらに隣の窓の人と合唱をしたり、楽器演奏をしたりしている。もちろん数多くの人がインターネットを使って、無償で様々な内容のサービスを提供している。音楽、フィットネス、コメディー、芝居、コンサート、学校の代替授業と数えきれない。

今回の危機を通じてインターネットの重要性が、国民の間に知れ渡った。さらにいかに普通の日常生活が大事かということも分かったという声がマスメディアを通じて聞こえている。ドイツはイタリアやフランスからコロナ患者を受け入れている。コロナ危機によって結局頼りになるのは、自国の政府、インフラということになっている。EUの理念に反する発展だ。この危機以降果たして、EUの理念が輝くことはあるのだろうか。ワクチンが発明されて、世界中の人々にとって共有できれば、幸いだが。ドイツの企業がワクチンの発明寸前だと言われ、トランプ大統領が、その企業を買い取り、米国だけに使えるようにしようとしたが、同企業は、ある国だけに使うことに反対し、断ったそうだ。このような発明は、国連あるいはWHOの管理下に置かれ、世界中で使えるようにしてほしい。」

(3) 韓国の市民運動の本が最近多くの人から送られてきている。

私の友人の今回の都知事選に出馬した宇都宮健児弁護士も『韓国の市民運動から学ぶ』の本を送られていました。それを読むと、今まで全体主義の独裁政権から民主主義の政権に、民衆の激しい闘いの結果、変わっていったことがよくわかります。凄まじい韓国民衆の勇気ある闘いが、現在の文政権を生み出してきたのです。それを日本の保守政権は従軍慰安婦、強制連行事件など植民地主義から抜け出ず文政権を否定したり、今もPCR検査器を協力しようとしているのに拒否し、いまだ対立したりしています。以前に同じようなウイルス感染の経験もしていますが、独裁政権を倒し、民衆の人たちと、人権が保障される政権を築き上げてきた歴史が今生かされているのです。BS-NHKで、韓国のコロナの対策のテレビを見ましたが、人間の尊厳とその連帯の大切さがこの国のコロナ対策の成功を導いていることのテレビ番組でした。

その意味でも改めて人権を大切にするトップリーダーが、このようなコロナ危機の時代に必要かを痛感しています。

毎日新聞の４月14日の「韓国総選挙与党圧勝、コロナ対応追い風」と、知り合いの少年法の専門学者横山実氏から私のところに来た４月17日のメールを紹介します。まず毎日新聞の４月17日の記事です。

〔15日投開票の韓国総選挙（定数３００）は、進歩系与党の「共に民主党」が過半数の１６３議席を得て圧勝した。系列の比例政党「共に市民党」と合わせると、野党の協力なく法案を提出できる１８０議席に達し、政権の政策の自由度が高まった。残り任期が約２年の文在寅大統領にとって、政権後半に起きるレームダック（死に体）化の先延ばしにもつながりそうだ。文氏は、選挙結果について、「国難の克服に全力を挙げる政府に力を与えてくれた。国民の声に謙虚に耳を傾ける」と述べ、新型コロナウイルスへの対応が追い風になったとの認識を示した。韓国総選挙での与党「共に民主党」の圧勝は、文在寅政権が新型コロナウイルス感染拡大抑えこみに成功し、国民から評価されたことが大きかった。最大野党「未来統合党」は、「文政権が今の経済低迷を招いた」などと批判を展開したが、明確な争点にはならなかった。韓国では当初、マスク不足が起きたが、その後解消。世界各地での感染の拡大に歯止めがかからない中、逆に感染拡大のスピードは鈍化した。韓国メディアは「国難を前に、有権者は安定を選んだと分析。「危機克服には一致団結が必要だ」との与党の訴えは、中道層や無党派層にも浸透したようだ。民放ＭＢＣによる出口調査では、「政府の新型ウイルス対応が投票行動に影響を与えた」と答えた有権者は約６割に達した。〕

次に、國學院大學名誉教授の横山実氏の私達に来たメールです。〔韓国では、文政権がとった新型コロナウイルス対策を、国民が支持しています。２０２０年４月16日の日本経済新聞夕刊では、「韓国総選挙与党が圧勝」「議席６割単独採決可能に」「文政権のコロナ対応評価」という見出しの記事が掲載されています。今日（４月17日）のＴＢＳテレビ「ひるおび」では、午後１時半ころから、韓国でのコロナウイルス対策の成功を紹介していました。それによると、韓国では、中東地域とともに、２０１５年の春にＭＥＲＳコロナウイルスが蔓延しました。その体験があるので、韓国政府は、中国での新型コロナウイルス蔓延の情報を得ると、すぐに、それへの対応策をとったのです。それでも、２月下旬には、大邱（テグ）市で新興宗教団体の教会での集団感染が広がり、患者数が急増し、世界的にそれが注目されたのです。しかし、コロナウイルス対策が功を奏して、今では、新たに感染が確認される人数は、30人ほどというのです。〕

また、「ひるおび」では、韓国のソウルで賑わいが戻っている映像も紹介していました。ひるおびでは、韓国では、Ｐ

CR検査がひろく実施されていることを報道していました。検査ができる医療施設が多数あるほかに、ドライブスルーなどの簡易検査場がたくさん存在するのです。感染のピークが過ぎた今では、検査を受ける人の数も減っているということです。「ひるおび」にゲストで出演していた医師は、韓国の簡易検査場の映像を見て、日本に輸入したいと述べていました。ところで、日本では、厚生労働省の医官たちが、コロナウイルス対策を迅速に行うことへの障害となっています。2020年4月11日の日本経済新聞では、「安倍1強にも医系の「聖域」」「PCR・アビガンで溝」「首相検査なぜ増えぬ」「厚労省誤判定もある」という見出しの記事が掲載されています。厚生労働省は、4月15日付で出した事務連絡で、やっと、ドライブスルー方式と呼ばれる車に乗ったままでの診察やPCR検査を容認したのです。しかし、そのやり方の判断や人繰りは、地方自治体に丸投げしているので、韓国のように全国的規模でPCR検査を展開できそうにありません。」

（4）次に世界最大の死亡率と感染率大国のアメリカの状況です。

①5月4日の東京新聞の『コロナで激変米大統領選あと半年』の記事です。

〔2月まで良かったのが3月期単月で、米GDP4・8%減。1から3月期下げ幅リーマン後最大になっています。今後相当の大不況になっていくことが十分予想され、トランプ大統領の失言や中国への転化発言や、経済優先で死ぬ人も出てもかまわないとの発言で、ますます窮地に陥っています。決定的だったのが「消毒液で新型ウイルスは十分で死滅する。注射で体内に入れるなど試したらおもしろい」との発言だ。ニューヨーク市で消毒液を体に入れたとみられる事故が急増。医療関係者から「危険で無責任」と批判が噴出した。

トランプ氏が焦るのは「50年ぶりの低水準だった失業率（3・5%）が二桁台に悪化する」（パウエル連邦準備制度理事会議長）ほど経済が悪化し、再選戦略が大きく狂ったからだ。会見中止とともに経済再開を容認。感染拡大が続く中、支持者集会の再開さえ模索している。一方バイデン氏は、東部デラウェア州の自宅からオンラン集会などを通じて支持を訴えるのが精いっぱいで存在感を示せない。だが、上院議員や副大統領として危機管理に携わった実績に加え、トランプ氏の「敵失で支持率はじわりと上昇」と。

②毎日新聞6・27『米でも多様化、混迷』の記事。

〔米中西部ミネソタ州で、白人警察が黒人男性のジョージ・フロイドさん（46）の首を押さえて死亡させてから1ヶ月が過ぎた。社会のさまざまな場面で人種間の差別が存在し、貧富や健康状態の要因となっている。新型コロナウイルスの影響で4500万人超が職を失い、黒人のみならず多くの人が不平等への怒りを共有している。FOXニュースが今月13～16日に実施した世論調査では、抗議デモに参加したと答えた人は18％。5人に1人が運動に関わった計算だ。差別反対を訴える「ブラック・ライブズ・マター」（黒人の命は大切だ）」を掲げた抗議運動は、さまざまな変化を生んだ。

▼コロンブスも銅像撤去標的　さらに波紋を広げているのが、「差別も象徴」とされる銅像などを撤去、破壊する動きの高まりだ。当初は南北戦争（1861～65年）で奴隷制度存続を掲げた南部連合に関係し、白人至上主義者の団結のよりどころに利用されてきた銅像にとどまった。今では15世紀に米大陸に到達し先住民を虐殺した探検家クリストファー・コロンブスや、奴隷を所有していた「建国の父」ジョージ・ワシントンの銅像なども標的になっている。この流れを、支配構造を無自覚に肯定してきた米社会の意識を変える動きとして支持する声が上がる。

トランプ大統領は、急激な社会変化を望まない地方部の白人を中心と支持層硬めの材料として利用する。「彼らは扇動者で素行不良者、無政府主義者。目的はこの国を不安定化させることだ」と。

③毎日新聞7・1『人種間格差あらわに』

〔新型コロナウイルスの感染爆発は、全米で黒人や中南米系などマイノリティー（人種的少数派）を直撃した。アメリカン・パブリック・メディア（APM）研究室の分析によると、人種別の人口10万人当たりの新型コロナによる死者数は、黒人が65・8人と白人の28・5人などと比べ突出している。また、6月23日現在、総人口の12％の黒人が、死者数では24％を占める。一方、総人口の62％の白人は死者数では52％と人口比を下回る。

マイノリティーの被害が大きかった背景には、人種間の経済格差があるとみられる。都市部を中心に低賃金の仕事に就くマイノリティーが多い。彼らは外出規制中でも、感染リスクにさらされながら出勤せざるをえなかった。また、米国には日本のような国民皆保健制度がない。中南米系移民の支援団体「ラティーノ・コミュニケーション・ファンデーション」は「中南米系らマイノリティーは無保険の人が多い上、感染しても高額な治療費を恐れて病院に行きたがらないので重症化リスクが高い」と指摘。「さらに外出規制に伴う飲食店などの閉鎖により、多くのマイノリティーが失業し、貧困が悪化している」と負の連鎖を取り上げる。

先住民の被害も深刻だ。国内最大の先住民居留地ナバホ・ネーションでは6月27日現在、感染者数が7414人。人口

10万人当たりでは4268人となり、全米50州で最多のニューヨーク州（2042人）を大きく上回る。ナバホでの感染拡大の原因として、3分の1の住民が水道を利用できずに手洗いが難しいことなどが挙げられている。また、先住民は貧困に起因する心臓病や糖尿病などの罹患率が高く、感染で重症化しやすい上に、広さ約7万平方キロに及ぶ居留地には、医療施設が12箇所しか設置されていない。そのため、紛争地などで活動する国際NGO「国境なき医師団」が支援に乗り出す事態となった。

さらに、5月25日に中西部ミネソタ州で起きた白人警官による黒人暴行死事件を発端にして、全米に広がった抗議デモは、黒人差別と警察の暴力への反発だけではなかった。コロナ禍で浮き彫りになった不平等に対する怒りも巻き込み、人種の違いを超えた歴史的な規模に膨れ上がった。黒人社会を研究するハーバード大のデビッド・ウィリアム教授（社会学）は「新型コロナと抗議デモで深刻な格差への認識が広がった今こそ、長年続く不平等を正す機会とすべきだ」と訴える。

④朝日新聞6月28日　米新規感染　最多4・5万人「3日連続更新　政権は楽観的」

〔米国で新型コロナウイルスの感染が急速に再拡大している。ニューヨーク・タイムズの集計によると、26日は約4万5千人の感染者が確認され、3日連続で過去最多を記録。ただ、トランプ政権は「国として大きく前進している」と楽観的な姿勢だ。米国内の感染は4月に一度ピークを迎えた。外出規制などの効果もあって、新たな感染者数は5月にかけて減少傾向にあったが、経済活動が再開されると6月から再び増加。

感染拡大を受け、政権の新型コロナウイルスタスクフォースは26日、約2ヶ月ぶりに会見を開催。ただ、トランプ大統領は出席せず、場所もホワイトハウスではなく、保健福祉省だった。会見でペンス副大統領はテキサス、フロリダ、アリゾナなどの州で感染者が増えているものの、医療体制などが整備されたこともあり、死者数はへっていると指摘。トランプ氏は大統領選に向けた集会も再開しているが、マスク着用は「自分はしたくない」として否定的だ。一方、トランプ氏はこの日、ホワイトハウスで雇用に関連したイベントを開催。「経済回復に向けて良い数字が出ている」と話したが、新型コロナには触れなかった。〕

⑤東京新聞8月1日　『米経済V字回復困難に』『早期再開→感染再拡大』

〔新型コロナウイルスの感染が再拡大する米国で、経済のV字回復が困難な情勢になってきた。トランプ大統領が後押しした経済活動の早期再開もあだとなった格好で、約3ヶ月後に迫った大統領選での再選シナリオが大きく崩れつつある。

回復期待が急速にしぼみつつある米国経済。７月31日に発表された４～６月期の成長率はマイナス32・９％（前記比年率）となり、第二次大戦後の１９４７年に統計を取り始めて以来、最悪の落ち込みで、米紙は「通常の不景気というより大恐慌に近い」と評した。景気は４月に都市封鎖で落ち込んだが、５月以降は経済活動再開で持ち直しに向かった。だが、連邦準備制度理事会（ＦＲＢ）のパウエル議長は７月29日の記者会見で「６月からの感染拡大で回復ペースが鈍っている」と語った。最新データでは買い物が減り、ホテルの稼働率も横ばいだ。

（５）ポピュリズムの新自由主義のイギリス

『初動が遅れた英招いた悲劇』のタイトルで、朝日新聞４月27日に次のような記事が出ています。

〈死者2万人超え。新型コロナウイルスの拡大で英国は14万人を超える感染者を出した。ハンコック保健相は「感染拡大はピークに達した」としているが、政権の危機意識の薄さと科学者の「ためらい」が重なり、対応が遅れ「避けられたはずの何千もの死を招いた」（英紙サンデー・タイムズ）と批判が出ている。３月12日、欧州各国が幅広い行動制限に乗り出しても、集会の中止などには踏み切らず、学校の一斉休校は「利益より実害の方が多い」と言い切った。それから１ヶ月余り。英国で感染者は14万人を超え、死者も25日夕（日本時間同日深夜）の政府発表で2万人を超えた。対応の遅れは、ドイツとの比較でも明らかだ。ドイツは人口が英国の約１・２倍なのに死者は英国の３割程度。ウイルス検査の件数も累計１７０万件を超えるドイツに対し、英国は約60万件にとどまる。英政府は検査を１日10万件実施するとの目標を立てたが、今月24日でも3万件にも届いていないのが実情だ。背景には、政府による国内検査機関への協力要請が遅れたことがある。2月から3月にかけ、英政府は欧州連合（ＥＵ）から人口呼吸器や医療器材の共同調達を誘われながら、ＥＵを離脱したことや連絡ミスを理由に参加しなかったことも明らかになっている〉

（６）朝日新聞7月2日『ブラジル　死者6・5万人殺人被害者と同数』の記事。

ブラジルでは、新型コロナによる死者が6万5千人を超えた。治安が悪化した２０１７年の殺人事件の被害者とほぼ同じ人数で、新型コロナを軽視してきたボルソナーロ氏も発熱などの症状を訴えて検査を受け、7日に「陽性だった」と発表した。保健省によると、国内の感染者は１６２万３２８４人、死者は６万５４８７人に上る。ＮＰ０「ブラジル公安フォーラム」のまとめでは、17年に起きた殺人事件の被害者は6万5602人で死者数とほぼ同じだ。この時の殺人事件の発生状況は過去最悪で、18年の大統領選ではボルソナーロ氏が「左派政権期に治安が悪化した」と主張し、治安回復を公約として当選した。しかし、ボルソナーロ氏は新型コロナについて「ちょっとした風邪だ」などと発言。死者が増えても「人はいずれ死ぬものだ」などと述べ、集会にマスク無しで参加するなど、感染予防策を否定するような行動を続けてきた。今月に入ってからも、公共の場でのマスク着用を義務付ける法律の一部について拒否権を行使。学校や商業施設での着用義務化や貧困層へのマスクの配布に反対した。国内では批判が増えており、「ボルソナーロは殺人者だ」といった落書きも目につく。6月下旬の世論調査では支持率27％に対し、不支持率は49％だった。政治学者のマルコ・ティシェラFGV大学教授は「マスク法をめぐる大統領の行動は、権力を誇示するためだ。しかし、支持率を見れば、政治的自殺がすでに始まっている」と語る」

(7) 7月2日東京新聞の社説です『国際協調で封じ込めよ』

〔世界の新型コロナ感染者が1500万人、死者も60万人を超えた。自国の対応で手いっぱいだとしても、地球規模で封じ込めなければ根絶はできない。国際社会は協調の必要性を再認識すべきだ。

▼感染、地球規模に　米ジョンズ・ホプキンズ大学の集計によると、世界の感染者最多は米国の約400万人超。以下、ブラジル、インド、ロシアなどが続き、新興国、途上国へと拡大している。感染者200万人超のブラジルでは、新型コロナを「ただの風邪」と過小評価するボルソローナ大統領が、国としての外出規制などを実施することなく、貧困層を中心に感染を広げた。大統領自身も感染した。感染者が100万人を超えたインドは経済再開を急ぐか、医療体制、検査態勢とも不十分なままだ。世界的なコロナ封じ込めには国際協力が必要だ。しかし、その扇の要となるべき世界保険機関（WHO）が初期対応の遅れなどで信頼を喪失。米中対立の舞台ともなり、実効性ある対策を打てていない。国連安全保障理事会が新型コロナ対策で世界各地の停戦を求める決議をしたのも今月に入ってからで、やはり米中対立による動きの鈍さが目立つ。

新型コロナ対策は世界共通の優先課題であり、政治的な駆け引きから離れ、ワクチンや特効薬開発など、より科学的、現実的な対策が必要だ。欧州連合（EU）やEU各国は途上国へのワクチン供給のため、国際的な共同調達を提唱し、資金提供を提唱している。日本も同様の目的で、ワクチン開発の特許権を国際的に共有する構想を打ち出した。先進7カ国（G7）をも巻き込んだ取り組みへと広げたい。今後、さらなる感染拡大が心配なのは衛生インフラの弱いアフリカだ。全体の感染者数は今月、60万人を超えた。WHOは今後1年間で最悪、2900万～4400万人が感染、8万～19万人が死亡すると試算する。南アフリカの感染者数は18日、ペルーを抜き、世界第5位となった。日本が設立を支援したガーナの野口記念医学研究所は西アフリカの感染症対策の拠点だ。同国が実施してきたPCRの検査約30万件のうち8割を、同研究所が担ってきた。アフリカのコロナ対策を引き続き支えていきたい。経済再建、東京五輪実現のためにも、途上国まで含めた世界的視野で対策を考えねばなるまい。〕

（8）軍隊を捨てた南米コスタリカのコロナ対策

私は今「コスタリカに学び平和を作る会」の共同代表をしています。軍隊を捨てた「人権国家コスタリカ」のコロナ対策がどうであったかを紹介する、伊藤千尋氏の「週間金曜日」の記事です。

〔新型ウィルス対策で日本政府は何もかも出遅れた。一方、中米の「人権国家」コスタリカは矢継ぎ早に手を打った。両国の差には、政府の姿勢の違いが表れている。40歳と若い同国のアルバラード大統領は、ほぼ毎日、声明を出し「団結すればコスタリカは今より強くなれる」と自分の言葉で呼びかける。最初の感染者が出たときから医療、生活、経済の3つの挑戦と位置づけ、生活と医療を国民に保証した。SNSでも発信し誠実な姿勢が信頼を得ている。陣頭指導するサラス保健相は東北大学にも留学した医学博士で保健省生え抜きの行政手腕を持つ。昼夜を問わず記者会見を開いて情報を全て公開し、予防方法、症例から制作の現状と結果を細かく知らせる。

コスタリカで初めて感染者が確認されたのは3月6日で、米ニューヨークからの観光客だった。3日後、集会を避け在宅勤務にするよう政府は国民に求めた。15日はバーやディスコを閉鎖した。感染阻止と生活維持の両立のため、飲食店などの客を収容人数の50％未満に制限。違反すれば30日の営業停止処分とした。最初の感染確認から10日後、感染者41人、死者ゼロの段階で大統領は国家非常事態を宣言。コスタリカ国民と居住する外国人以外の入国を制限した。同時にすべての学校を閉鎖した。国民は冷静に受け止めた。政府が独裁化する危険はない。大統領は連続再戦禁止で8年置かなければ再び立候補できず、国会議員も連続再戦禁止だ。政府が国民の声に応えなければ地祇の選挙で政権が交代する。民主主義が生きており、政府が信頼されている点が日本と違う。

宣言の2日後、最初の死者が出ると国立公園を閉鎖した。2人めの死者が出ると教会を閉鎖。夜間の車の外出を禁止し、違反には罰金を科した。初日に200台が違反すると罰金を5倍にした。一方で国立病院をコロナ治療用に、国立リハビリテーションセンターをコロナ治療の専門病院に変えた。このため感染は抑えられている。さらに、収入が大きく減った人への補助金支給を決め、まず3000世帯に給付を始めた。仕事を失った人には一般労働者の平均月収の役半分に当たる12万5000コロン（約2万5000円）を収入が減ったが以前の50％以上ある人には6万2500コロン（約1万2500円）を、向こう3ヶ月に渡って支給する。財源として富裕層に「連帯税」を課す計画だ。昨年決まった売上税のアップは3ヶ月間凍結し、水道料金は徴収を中止した。家賃が払えない人のため、家主に支払いを半年猶予するよう通達を出した。店の半数が閉じたがパニックや買い占めはない。小、中、高校は閉鎖後もスマホやパソコンでバーチャル授業をし、子どもに隔週で米、パスタ、野菜、果物などの食料とノートを配給している。

開発途上国のコスタリカがこれだけやれるのに、なぜ経済大国の日本にできないのか。コスタリカに16年滞在する観光ガイドの原田真也さん（46歳）は「政府と国民の距離の差」だとみる。「日本は国民の健康でなく経済の落ち込みを心配している。コスタリカ政府は国民が必要とすることを実行する。こちらのほうが正しい民主主義だと思う」と原田さん。「日本ではなぜ支給がマスク2枚だけなのか」と問われた原田さんは説明に困っている。」

第3章　コロナと立憲主義

1．緊急事態条項と緊急事態宣言

緊急事態宣言でうまく行ったから、世界中で緊急事態宣言をやっているから収束させるからと、安倍政権は、国民が不安になっている中、対策を厳しくすればコロナを完全にストップできるとの口実で、憲法を改悪して自民党の憲法改悪案のひとつである緊急事態条項を創設することの危険性を、楽観視してはなりません。

今でも執拗に自民党は憲法審査会を開くべきと野党に促し、維新・日本会議などを利用して進めています。今年の憲法記念日でも憲法に緊急事態条項がないと、コロナに便乗した、火事場泥棒的安倍首相の会見が行われています。安倍辞任後、内閣支持率急上昇になった安倍政治継続の菅政権下ではなおさらで、一層の危険を増しています。私が昨年出した『戦争裁判と平和憲法』（明石書店）でも述べましたが、重要なので、コロナとの関連で憲法記念日前の緊急事態宣言に関連し考えてもらうための、3つの新聞記事を紹介します。

(1) 朝日新聞4月17日の『新型コロナ緊急の魔力に抗する』の記事

タイトルで憲法学者の石川健治氏が書いた「緊急事態とはなにか、長い歴史が教える立憲主義の正道」を紹介します。

〔「緊急事態宣言」が出されて10日たちました。憲法学の視点からどう見ていますか。「まず、はっきりと仕分けしておかなければならないのは、今回の事態は、憲法に『緊急事態条項』を加えるかどうかという議論とは関係がない、ということです。この機に乗じて改憲機運を盛り上げようとする動きには、釘をさしておかなければなりません」

「緊急事態の議論には2種類あります。何が緊急事態かを問題にし、独裁権力を想定しない『客観的緊急事態』論と、独裁権力を想定し、誰がそれを握るかを論ずる『主観的緊急事態』論です。この二つを区別すべきだと説いたのは、ドイツの公法学者ユリウス・ハチェックでした。彼の意見では、前者が立憲主義にとっての正道、後者は邪道です。日本の憲法学者にも影響を与えた人でした」。

明治憲法には、議会の閉会二つを区別すべきだと説いた中に、天皇が法律に代わるものとして命令を発する「緊急勅令」（8条）がありました。「最高刑を死刑に引き上げる治安維持法の改正案が1928年、帝国議会では廃案になったにもかかわらず、当時の田中義一内閣は、この緊急勅令を使って成立させています。『主観的緊急事態』論が何をもたらすかをよく物語っています。ほかに、緊急事態を理由に軍隊を出動させ、行政権や司法権を軍部に委ねて私権制限をさせる「戒厳」の大権（明治憲法14条）や、戦時または国家事変の折に臣民の憲法上の権利を制限する大権（同31条）も、天皇には認められていました。これらを、天皇自身というより、実際には天皇を輔弼する勢力が動かそうとしたわけです。日本国憲法は、これを排除しました」

憲法に緊急事態条項がない理由を、憲法担当だった金森徳次郎国務大臣が、憲法制定時の国会で述べています。「民主政治を徹底させて国民の権利を十分擁護するためには、政府が一存で行い得る措置は極力防止しなければならない。言葉を非常ということに借りて、それを口実に（権利や自由が）破壊されるおそれが絶無とは断言しがたい」「こうした過去の反省を踏まえ、日本国憲法が用意した緊急事態条項が、参議院の緊急集会の制度を定める54条2項ただし書きです。戦前の緊急勅令の制度を独自に換骨奪胎しました。緊急集会でとられた措置は臨時のもので、衆議院の同意を得られないと効力を失い、事後的に必ずチェックを受ける仕組みになっています」と。しかし、そのことに不満な政治家がいます。

「新型コロナウイルスの蔓延を理由とする今回の緊急事態は、客観的緊急事態論の筋で理解され、また運用されなくてはなりません。例外的措置を正当化する客観的緊急事態の存否については、まず何よりも事実に基づく医学的判断が尊重されるべきです。医学的に決着がつかないため、政治判断に委ねられる局面はありえますが、『諮問』という位置づけの専門家会議が客観的な判断を示すことが重要です」「無論、法の例外としての緊急事態は起こり得るし、それに対処する法理は古くから存在します。問題は、主観的緊急事態条項を憲法に書き込むことを通じて、例外状況が常態化（ノーマル化）される危険性です。今回の特措法が原則2年間という時限を切っているのは、緊急事態を理由とする例外的な措置が、常態化するのを恐れているからです」「ただ気になるのは、その医学的判断で、感染者数や死者数といった統計上の数字が躍っていることです。数としてのみ人間を捉える見方が、前面に出てきている。コロナウイルスという共通の『敵』に対する『戦争』のなかで、『人類』が結集して闘おうとするとき、仕方のない側面もあります。しかし、そのようにして先の戦争中『全体』に奉仕した日本人が、戦後、それぞれかけがえのない『個』としての存在を取り戻したのが、『すべて国民は、個人として尊重される』と定める日本国憲法13条です」

「ドイツのメルケル首相は、テレビ演説で、国民に『これは抽象的な統計の数の話ではなく、父親や祖父、母親や祖母、配偶者、つまり人々の問題だ』と呼びかけました。危機であっても、最大多数の最大幸福という功利計算のなかに個人を埋没させてはいけない、というメッセージで、日本の憲法13条とも呼応する問題意識です。かけがえのない存在としての一人ひとりの痛みをどう引き受けるのか、政治、そして市民社会の想像力が試されています」「『緊急』という言葉には魔法のような力があります。

「『必要』や『緊急』が、法を破ってきた歴史がある。日本国憲法のいう『公共の福祉』は、それらと親戚関係にある言葉です。居住、移転の自由は、職業選択の自由とともに、憲法の条において『公共の福祉に反しない限り』で、保障されているわけですが、今回どちらの自由も、命と経済を天秤にかけ、『緊急事態』を理由に大幅に制限された状況にあります。『公共の福祉』のために宙づりになっているわけです」「今回の緊急事態宣言に強制力はないけれども、平時なら違法な行為を正当化する根拠として、公式に『緊急事態』が表明されたこと自体は、極めて大きい」

緊急事態の典型は戦争です。実際、どの国の元首も、第2次世界大戦以来の出来事だと言っています。『緊急』が政治的なシンボルとして使われるようになると、権威主義的支配が忍び寄ってきます」「権威主義の下で政府を支配するのは、もっぱら指導者に対して責任を負うという論理です。国民に対してではありません。『緊急』がアリの一穴になり得ることを自覚し、政府に国民への説明責任を求め続けることが、権威主義へ舵を切るのを防ぎ、自由を守る手立てになると思います」――海外をみると、ハンガリーでは強権的なオルバン首相を支える与党が非常事態法を成立させ、政府が無期限に超法規的権限をもつことも可能にしました。権威主義的な動きが表面化しています。

「オルバン首相は、ドイツのメルケル首相の立憲民主主義と対立し、『民主主義に自由はいらない』と言い放ちましたが、移民に排斥的な姿勢をとり、かえって人気を博しました。危機が続くと権威主義的なリーダーを求める声が強まり、調整型でなく強い指導力を求める人が出てきます。現に、緊急事態宣言を政府に出してほしいと思っている人は多いのです」

宣言によって、結果的に私権を制限されるが、独仏のように休業補償は制度化されていない。労働者や営業自粛を要請された店主らから、どう生計を立てればよいか、悲鳴が上がっています。「緊急事態の下、市場経済の前提である移動の自由や営業の自由が全面的に制限されている以上、市場原理主義に基づく自己責任の論理は通用しない。緊急事態宣言と引き換えに、市場メカニズムを補完する配分システムを、緊急に構築する必要があると思います」〕

（2）4月15日の毎日新聞の『また改憲緊急事態の強権危棋』『石田勇治東大大学院教授のナチ前夜と相似点がないか』の記事を紹介します。

〔「自己免疫が強くならないと・コロナには打ち勝てない。だから遊び過ぎない、飲み過ぎない」。3月12日、伊吹文明元衆院議長が自民党の会派会合で語ったこの言葉は、「欲しがりません勝つまでは」という戦時中のスローガンのように聞こえた。未知のウイルスへの不安が募る中、国民に受忍を強いる空気が広がっている。

新型コロナウイルス感染症を対象にした改正新型インフルエンザ等対策特別措置法が可決されたのは、そんな状況下だった（3月1日施行）。石田さんは、共産党やれいわ新選組などを除く野党が、「国会の事前承認」を取り付けないまま賛成に回った対応を「理解に苦しむ」と批判する。「いくら民主党政権時代の法律でも、欠陥は修正すべきでした。国民の基本権の制限を可能にする大権を行政府に与えるのに、国民の代表である国会の承認を必要としないのはおかしな話です」。

安倍晋三首相が緊急事態宣誓を出したのは4月7日夕。人の移動や集会の自由を制限できる強大な権限を手にしたことになる。だが、翌8日に毎日新聞が実施した世論調査で、宣言を「評価する」との回答は72％を占め、「評価しない」は20％にとどまった。石田さんは危惧する。「今回は特措法という個別の法律に基づく宣言ですが、それでも外出の自粛要請や学校・集会施設の使用制限だけでなく、指定公共機関となったNHKへの指示や土地・建物・物資の収用など強制力を伴う措置を広い範囲で講じることができる。感染爆発を食い止めることが目的のため異論は唱えにくいですが、緊急事態が長引いた時、私権制約を容認する『例外状態』に国民が慣らされてしまわないか。集会もデモもできない状況で、政府に不満や批判があっても押し黙ってしまうのではないか。ただでさえ脆弱な国会による行政統制はどうなるのか、心配です」。石田さんが脳裏に浮かべるのは、世界で最も民主的といわれたワイマール憲法が骨抜きにされ、ヒトラーが短期間で独裁体制を築いた道筋だ。その過程で緊急事態条項（国家緊急権）が徹底して乱用された。

石田さんの著書『ヒトラーとナチ・ドイツ』（講談社現代新書）をテキストに経緯をおさらいしたい。30年代初頭のドイツ。国会が紛糾して思うように法律を作れない政府は、法律に代わる大統領緊急令を多発した。国会は立法府としての機能を徐々に失い、国会議員も存在理由を問われた。ワイマール憲法を敵視するナチ党が躍進したのはそんな状況下だった。33年1月に成立したヒトラー政権はナチ党と国家人民党（伝統的保守派）との連立政権だ。直近の選挙でのナチ党の得票率は33・1%。ヒトラー政権は国会で過半数をもたない少数政権として発足した。そこでヒトラーは大統領を動かして国会を解散させ、緊急令を使って言論統制を始めた。2月、選挙戦の最中に国会議事堂炎上事件が起きると、再び緊急令を出させて共産党を弾圧、国民の基本権の大半を停止した。3月には立法権を政府に与える授権法（全権委任法）を強行採決、7月には一党体制を樹立した。政権成立後、わずか半年の出来事だった。

日本の憲法改正論議に絡め、7年前に「あの（ナチスの）手口、学んだらどうかね」と言い放ったのは、麻生太郎・副総理兼財務相だった。石田さんは「あんな発言をして国の信頼を損ねた閣僚が同じ地位にとどまっていること自体に、現政権の本質が表れている」と語り、こう続ける。「自民党は今回の経験をもとに、憲法に緊急事態条項を書き込もうとするでしょう。しかし法律に基づく緊急事態と、憲法に基づくそれとでは全く意味が異なります。後者の場合、戦争・内乱・恐慌・大災害などの非常事態において、通常の立憲的な法秩序（権力分立と人権保障）を一時停止して緊急措置をとる権限を政府が行使することを意味するからです」。自民党が2018年に発表した改憲4項目の一つ「緊急事態対応」には、「政令」という名の、法律同等の「内閣緊急令」が盛り込まれている、と石田さんは指摘する。「仮にその条文が現憲法にあればどうなっていたか。政府は今より格段に大きな権限を持ち、『国民の生命、身体及び財産を保護する』ため、何から何まで強権発動したのでは。今は非常時、命が何より大切だから仕方がない。そんな世論が醸し出す重しい空気の中から「防災のための委任独裁」が現れていたかもしれません」

委任独裁――。「危機に直面した主権者が、為政者に委任して生じる独裁」のことだが、石田さんはこう説く。「立憲体制を守るため、一時的に権力を政府に集中させるのですが、危機が克服されれば元の形に戻すことが肝心です。しかし、自民党改憲案の「緊急事態対応」には、『政令』を解除する手続きも期限も書かれておらず、危険極まりないものです」

緊急事態条項は「為政者は間違わない」という性善説に支えられている、と石田さん。だがそう信じられる国民がいまこの国にどれだけいるだろうか。振り返ると安倍政権下では近年、森友学園・加計学園、財務省の文書改ざん、桜を見る会、東京高検検事長の定年延長など数々の問題が噴出している。他方、国民への真摯な姿勢で存在感を示すリーダーもいる。メルケル独首相はテレビ演説で「第二次大戦以来の試練に直面している」と危機感の共有を呼びかける一方、民主主義の下で国民に犠牲を強いる状況について「可能な限り説明を尽くす」と約束した。石田さんは言う。「ドイツは、憲法（基本法）に既にある緊急事態条項を使わず、経済支援策などを打ち出すことでコントロールしています。憲法に緊急事態条項がないと国は守れないとの考えは違うと思います」石田さんは、ナチ前夜のドイツといまの日本は安易に比較できないとしながらも、両者の相似点をこう指摘する。「政治家の質的劣化と国会の体たらくです。当時のドイツでは、民主憲法を支える合理的でリベラルな政治家が表舞台から退場し、代わりに、国民の情念に働きかけるタイプの指導者が目立つようになりました。理性的な声はかき消され、一部の国民はヒトラーに熱狂しますが、それを嫌う人、投げやりで無関心な人も多かった。今回の感染症を契機に、せめて政治に関心が高まることを期待したい。このまま政治不信と無関心が続けば、『気づいた時はひどい憲法に変わっていた』ということになりかねません」

（3）4月15日の朝日新聞「新型コロナここが政治の分かれ道インタビュー」

ヘブライ大学教授歴史学者のユヴァル・ノア・ハラリさんの「長い目で見れば独裁より民主主義、双方向の監視有効」を紹介します。最初に出した毎日新聞の北海道大学吉田徹氏の論文とも共通性があります。ＢＳのＮＨＫテレビにもコロナ特集で出ています。新型コロナウイルスによる感染症の脅威に世界中がすくんでいる。今、私たちはどう立ち向かうべきなのか。人類史を問い直し、未来を大胆に読み解く著作で知られるイスラエルの歴史学者、ハラリさんが電話でのインタビューに応じた。

――私たちはどのような課題に直面していると考えますか。　「世界は政治の重大局面にあります。ウイルスの脅威に対応するには、さまざまな政治判断が求められるからです」「まず国際的な連帯で危機を乗り切るという選択肢があります。すべての国が情報や医療資源を共有し、互いを経済的に助け合う方法です。他方で、国家的な孤立主義の道を選ぶこともできる。他国と争い、情報共有を拒み、貴重な資源を奪い合う道です。どちらの選択も可能で、政治判断に委ねられています」「また、ある国はすべての権力を独裁者に与えるかもしれない。別の国では民主的な制度を維持し、権力に対するチェックとバランスを重視する道を選ぶでしょう。すべてにおいて明確な答えはなく、政治に委ねられます。だから私は現状が医療だけでなく政治の重大局面だと定義するのです」

――独裁と民主主義のうち、どちらが感染症の脅威にうまく対応しているでしょうか。「日本や韓国、台湾のような東アジアの民主主義は、比較的うまく対処してきました。しかし、イタリアや米国は同じ民主主義でも状況ははるかに悪い」「独裁体制でも中国は、うまくやっているように見えます。しかし、中国がもっと開かれた民主主義の体制であれば、最初の段階で流行を防げたかもしれない。ただ、その後の数カ月を見れば、中国は米国よりもはるかにうまく対処しています。一方でイランやトルコといった他の独裁や権威主義体制は失敗している。報道の自由がなく、政府が感染拡大の情報をもみ消しているのが原因です」

――どちらの政治体制が望ましいとも言えないわけですか。「長い目で見ると民主主義の方が危機にうまく対応できるでしょう。理由は二つあります」「情報を得て自発的に行動できる人間は、警察の取り締まりを受けて動く無知な人間に比べて危機にうまく対処できます。数百万人に手洗いを徹底させたい場合、人々に信頼できる情報を与えて教育する方が、すべてのトイレに警察官とカメラを配置するより簡単でしょう」「独裁の場合は、誰にも相談をせずに決断し、速く行動することができる。しかし、間違った判断をした場合はメディアを使って問題を隠し、誤った政策に固執するものです。これに対し、民主主義体制では政府が誤りを認めることがより容易になる。報道の自由と市民の圧力があるからです」「新技術を使った監視には反対しないし、感染症との闘いには監視も必要です。むしろ民主的でバランスの取れた方法で監視をすることもできると考えます。」「重要なのは、監視の権限を警察や軍、治安機関に与えないこと。独立した保険機関を設立して監視を担わせ、感染症対策のためだけにデーターを保管することが望ましいでしょう。そうすることで、人々からの信頼を得ることができます。」

2. 自己責任論の問題性

(1) 朝日新聞の4月25日の「政府の責任を個人に転嫁」の記事

駒沢大学の山崎望教授が、的確な現在の私達の自己責任を押し付けられている危険な状況を指摘しています。

〔新型コロナウイルス対策では、自由民主主義体制の欧米諸国でも、外出禁止や都市封鎖など「むき出し」の権力行使が目立ちます。中国など独裁的体制の国と同一視はできませんが、どの国も法秩序が想定していない事態への対処という問題に直面しています。日本では、緊急事態宣言を出したものの、自粛要請にとどまっている。私権の制限という点では限定的ですが、問題がないとはいえません。「3密の場所には行かないで」といった要請は、一見、穏当に見えます。しかし、責任の主体が政府ではなく、個人に帰せられている。「個人が勝手に自粛し、責任を負う」図式で、政府は責任をとらない。これは、新自由主義的な自己責任論の典型です。「補償なき自粛」は、人々にコロナで死ぬか、経済的に死ぬかを自分で選べという、究極の二者択一を迫っています。必要なのは、「自粛しても生きることができる」という条件整備ですが、現政権にはその意識が薄すぎます。

自粛要請もそうですが、一斉休校にしても、今回の「マスク2枚」でも、首相官邸だけで決めている。野党のみならず、与党の意見もろくに聞かず、専門家会議の判断を重視するわけでもありません。議会制民主主義による法律で決めるのではなく、ごく数人の思いつきで決めている状態は、非常に危ないと思います。こうしたことが起きてしまうのは、人々の不安が行政への権力集中や独裁を支えてしまうからです。セキュリティー（安全）の語源は「不安がないこと」です。感染の不安から逃れたい人々が、行政により強い権力行使を求め、自粛要請で自らの行動や自由を縛らせるという奇妙な現象が起きてしまっています。

その結果、自分や他人の責任を問い合う、監視社会のようになりつつあります。みんなで社会のルールを決めるという民主主義の原理ではなく、「自分勝手なことをするな」という道徳的な感情が前に出てきてしまっている。「夜に遊ぶ連中が悪い」「ライブハウスを営業するのは、非常識だ」と批判される。分断や対立が拡大し、自由がどんどん狭くなっています。感染拡大を防ぐために何らかの対策をとらなくてはならないのは確かですが、対策に民主主義的な正統性があるのかを、多層的かつ厳格にチェックする仕組みが必要です。効果があるのか、不当に人々の権利を奪ってしまわないかを、事前に国会や第三者機関で検討すべきでしょう。いまは、「もっと強い対策が必要」という空気が支配しています。しかし、必要性の観点だけから、補償もなく「自粛」を受け入れるのは危険です。民主主義が失われる瀬戸際にあることに気づくべきだと思います。」

（2）自己責任論と同調圧力

東京新聞5月5日「同調圧力利用する政府」で、次のように述べています。

〔同調圧力は日増しに強まっている。感染者集団を出した屋形船やライブハウス、スポーツジムがやり玉に。4月7日に政府が緊急事態宣言を出すと，休業要請の対象の店が営業していることに批判が集まった。大阪府には営業しているパチンコ店などの通報が数百件、宣言の延長が濃厚になってから飲食店などに営業自粛の徹底を求める貼り紙や落書きが目立つようになった。先の通しが立たないことによるストレスの増加が行動に走らせる。外出せず家にいることが正しいことで，感染することは悪なんだという同調圧力は緊急事態宣言でお墨付きをえて更に高まった。長引けば我慢が続きルールを守らない行動を批判する傾向は更に高まるであろう。外出を自粛して家にいることを求めるなら補償を十分すべきだが同調圧力による相互監視で外出が控えられたほうが安上がり。戦時中の隣組のようでおかみに楯突くのは何事だという国民的同意を急速に形成した。

そもそも自粛は自ずからするもので、要請を受けてするものではない。自粛を要請するというのは表現自体もおかしい。休業などの要請は、要請だから受けるのも受けないのも自由だといえば同調圧力で徹底的にパッシングされる、だから同調圧力で強制になっている。休業を要請するなら補償とセットが当たり前。要請を受けた側のみが責任を取らなければならず、弱いものにしわ寄せがかかっている。だが安倍政権が取ろうとしていることは真逆だ。西村担当相は4日の国会で休業要請指示に応じない店舗などが相次いだ場合、罰則をともなう指示を可能とする法改正を検討するとしている。政治アナリストの伊藤惇夫氏は「緊急事態宣言を延長したのは対策が失敗している証、休業要請を受けられないのは十分な補償がないからである。十分な補償をする第二次補正予算を早急にまとめるべき」と。

ルールにしたがって営業を続ける人たちを中傷する「自粛警察」も表れています。コロナ発見、感染者は入院中、立ち寄った店は次の通りとラインで、また疑心のデマもSNSで、ネットに渦巻く自分勝手な正義、不安と差別が高まり、児童虐待、DV、増加、許せない感染者や医療関係者への偏見と差別、中傷などが政府も憂慮しているが止まらない。診療の躊躇や遅れ、医療の崩壊がこの事によっても増進されてしまっています。〕

（3）自己責任論と国民主権

5月1日の朝日新聞の「自粛をお願い曖昧な責任権利抑制の空気」で、次のように述べています。「新型コロナウイルスの感染拡大を受けた緊急事態が宣言され、外出や営業の自粛呼びかけが続く。感染を抑えようと私たちはこれを受け入れているが、「ウイルスと闘う」との合言葉を前に、かき消されているものはないか。73回目の憲法記念日を前に、緊急事態下の不自由を考える。千葉大学の大林啓吾教授（憲法）は「個人の権利意識が強い欧米と異なり、日本では同調圧力が事実上の強制力として作用しているから」とみる。「お上の言うことに素直に従う権威主義と、個人よりも集団が優先される集団主義。この『明治憲法の残滓』とも呼ぶべき二つの主義がいまだ社会に残り、政府の要請に従わないことを許さない同調圧力と相互監視を生んでいる」

明治憲法において国民は、主権者たる天皇に服従する臣民とされた。新憲法で主権者は国民となり、個人として等しく尊重されることになった。それでも、「残滓」は時に個人の自律を阻み、集団の中に個人を溶かし込もうとする。「緩やかな法体系のもとでも国民一人一人が努力する、まさにこの日本人のDNA」「お願い」型を否定する必要はもちろんない。強制は少ない方がいい。留意すべきなのは、責任がうやむやになることだ。政府は、休業に伴う損失の「補償」を一貫して否定する。憲法が保障する財産権や生存権を盾に、政府に補償を「権利として」強く求める動きが出てもおかしくない局面だが、休業判断の責任はあくまでも店側。権利を侵害されたと裁判に訴えても、救済の対象にならないというのが専門家のもっぱらの見方だ。

「緊急時こそ、責任の所在を明確にすることが重要だ。感染拡大を抑えられなかった場合、その責任はだれに帰すのか。政府は正しく要請した、十分に応えなかった国民が悪い――などということには、よもや、ならないだろうか。ドイツで研究中の田野大輔・甲南大学教授（ドイツ現代史）は「メルケル首相は演説で、『（自由の制限は）民主主義社会では決して軽々しく発動されてはならない』と説明したうえで強制力を行使した。日本は行政が私権の制限という点をうやむやにしたまま、他罰感情のような劣情を動員する形で、自らの権力行使の正当性を得ようとしているのではないか。それはファシズム的な手法で、注意が必要だ」と語る。憲法は、国民の生命を守る責任（アクセル）と、個人の自由と権利を侵さない責任（ブレーキ）を共に果たすよう国家に命じている。先の見えない不安は、国家がアクセルを踏み込むことへの期待に転化しがちだが、ならば同時に、ブレーキの性能もよくしろと主権者は国家に命じなければならない。国家が暴走し、破綻した結果として手にした日本国憲法には、その教訓が「国民主権」として刻まれている。」

３．コロナ下での安倍改憲

（１）安倍首相の今年の憲法記念日の憲法改正メッセージ

朝日新聞の５月４日の記事です。〔安倍晋三首相は憲法記念日の３日、改憲派のオンライン集会に寄せたビデオメッセージで、緊急事態条項の新設に向けた議論を与野党に初めて促した。国会での改憲論議が停滞する中、新型コロナウイルスの感染拡大を現状打破の糸口にしようという焦りがにじんだ。コロナ危機に便乗するような発言に、野党だけでなく与党からも現行憲法で対応可能だとする指摘が相次いだ。首相は２０１６年から去年まで、この改憲派集会に寄せたビデオメッセージで、緊急事態条項を前面に打ち出したことはなかった。自民党は18年３月に緊急事態条項の新設を含む改憲４項目をまとめているが、首相は重視してこなかった。自民党内ではコロナ危機後、緊急事態を巡る改憲論議を提唱する発言が続いており、首相もその動きに連なった。

首相はどのような条文が新たに必要になるのかは明言しなかったが、自民党内では外出禁止をはじめ私権制限を可能にする規定の必要性を唱える意見が出ている。

感染拡大防止策の遅れや不備の原因が現行憲法にあるかのような議論に、野党から反論の声が上がった。立憲民主党の枝野幸男代表は党ホームページ上の動画で「（現行）憲法の制約でやるべきことができないということは全くない」と説明。強い私権制限を規定する災害対策基本法のコロナ対応への適用を求めた。共産党の小池晃書記局長はＮＨＫ番組で「コロナ対応がうまくいってないのは憲法のせいではない。安倍政権の政治姿勢と能力の問題だ」と語った。与党・公明党の斉藤鉄夫幹事長も、私権制限について「現憲法下でも十分可能で、法律の話だ」と指摘した。〕

（２）緊急事態条項憲法改正の問題性

東京新聞の５月３日の社説です。〔『憲法改正の大きな実験台と考えた方がいい』と自民党の大物・伊吹文明元衆院議長が言ったのは１月30日でした。政府が新型コロナウイルス感染症対策本部を立ち上げた当日です。安倍晋三首相も「緊急事態条項」の言葉を挙げて、国会の憲法審査会での議論を呼び掛けていました。

緊急事態条項とは何でしょう。一般的には戦争や大災害などの非常時に内閣に権限を集中する手段とされます。暫定的に議会の承認が省かれたり、国民の権利も大幅に制限されると予想されます。明治憲法には戒厳令や天皇の名で発する緊急勅令などがありました。憲法の秩序が一時的に止まる〝劇薬〟といえそうです。

一月末ごろ、政府に緊急事態の危機感は本当にあったのでしょうか。むしろコロナ禍は「改憲チャンス」とでもいった気分だったのではと想像します。なぜならコロナ対策は各国に比べて後手後手。政府は東京五輪・パラリンピック開催にこだわっていたからです。まるで危機感ゼロだったのではないでしょうか。つまりは必要に迫られた改憲論議などではなく、「コロナ禍は改憲の実験台」程度の意識だったのではと思います。それでも、改憲の旗を掲げる安倍政権には絶好の機会には違いありません。実際に国会の憲法審査会では与党側が「緊急事態時の国会機能の在り方」というテーマを投げかけています。「議員に多くのコロナ感染者が出た場合、定足数を満たせるか」「衆院の任期満了まで感染が終了せず、国政選挙ができない場合はどうする」――。

こんな論点を挙げていますが、「もっともだ」と安易に納得してはいけません。どんな反論が可能なのか、高名な憲法学者・長谷部恭男早大教授に尋ねてみました。

▼「非常時」とは口実だ

「不安をあおって妙な改憲をしようとするのは、暴政国家がよくやることです」「大型飛行機が墜落して、国会議員の大部分が閣僚もろとも死んでしまったらどうするかとか、考えてもしようがないこと」確かに「非常時」に乗じるのが暴政国家です。ナチス・ドイツの歴史もそうです。緊急事態の大統領令を乱発し、悪名高い全権委任法を手に入れ、ヒトラーは独裁を完成させたのですから…。衆議院の任期切れの場合なら、憲法54条にある参議院の「緊急集会」規定を使うことが考えられます。「国に緊急の必要があるときは、参議院の緊急集会を求めることができる」との条文です。この点も長谷部教授に確かめると「『できる』が多数説です」と。つまりコロナ禍を利用した改憲論はナンセンスと考えます。不安な国民心理に付け込み、改憲まで持っていこうとするのは不見識です。現在、国会議員に感染者はいません。ならば今後、感染しないよう十分な防護策を取ればよいだけではありませんか。

それにしても明治憲法にはあった緊急事態条項を、なぜ日本国憲法は採り入れなかったのでしょう。明快な答えがあります。1946年7月の帝国議会で、憲法担当大臣だった金森徳次郎が見事な答弁をしているのです。〈民主政治を徹底させて国民の権利を十分擁護するには、政府一存において行う処置は極力、防止せねばならない〉〈言葉を非常ということに借りて、（緊急事態の）道を残しておくと、どんなに精緻な憲法を定めても、口実をそこに入れて、また破壊される恐れが絶無とは断言しがたい〉いつの世でも権力者が言う「非常時」とは口実かもしれません。うのみにすれば、国民の権利も民主政治も憲法もいっぺんに破壊されてしまうのだと…。金森答弁は実に説得力があります。コロナ禍という「国難」に際しては、民心はパニック状態に陥りがちになり、つい強い権力に頼りたがります。そんな人間心理に呼応するのが、緊急事態条項です。

しかし、それは国会を飛ばして内閣限りで事実上の〝立法〟ができる、あまりに危険な権限です。

▼法律で対応は可能だ　ひどい権力の乱用や人権侵害を招く恐れがあることは、歴史が教えるところです。言論統制もあるでしょう。政府の暴走を止めることができません。だから、ドイツでは憲法にあっても一度も使われたことがありません。コロナ特措法やそれに基づく「緊急事態宣言」でも不十分と考えるなら、必要な法律をつくればそれで足ります。罰則付きの外出禁止が必要ならば、そうした法律を制定すればよいのです。権力がいう「非常時」とは口実なのだ―74年前の金森の〝金言〟を忘れてはなりません。」

(3)東京新聞　6月23日「なぜ今？　コロナ禍なのに改憲論議」

安倍晋三首相は改憲について、18日の国会閉会後記者会見と20日のインターネット番組で、「なんとか国民投票までいきたい」「必要なら（衆院解散総選挙で）国民の声を聞く」などと、来年9月の自民党総裁任期切れまでに実現したい意向を繰り返した。ただ、世はまだコロナ禍にあり、感染第二波襲来への警戒も怠れない。とても改憲の国民的議論をしている状況とは思えないのに、なぜ今訴えるのか。

［まだ1年3ヶ月時間がある。なんとか任期中に国民投票までいきたい」。20日夜に放送されたテレビ&ビデオエンターテイメント「ＡＢＥＭＡ」のインターネット番組で対談した橋本徹元大阪市長から憲法改正の国民投票に「どうもっていくか」と問われると、安倍晋三首相はそう答えた。橋本氏から改憲議論を進めるため「衆院解散をぜひやって」と要請されると、「必要とあらば躊躇なく国民の声を聞く」と改憲解散さえにおわせた。首相の「任期中の改憲」意欲表明は、国会閉会を受けた18日の記者会見でもあった。対談冒頭で「条文案を巡る議論は残念ながら今国会でも全く進まなかった」といらだちをにじませ、質疑では「任期の間に憲法改正を成し遂げたい」などと3分半に及び熱弁をふるった。

改憲手続きを定めた国民投票法改正案は２０１８年６月に提出されて以降、５国会連続で継続審議。今国会では自民党の二階俊博、公明党の斎藤鉄夫両幹事長が5月19日に国会内で会談し、成立を期す方針を確認した。これを受け、ツイッター上では「#国民投票法改正案に抗議します」などと反対論が高まり、「コロナに集中してよ」「どさくさに紛れていろいろ出してくるね」などの投稿が続出した。この中では通信販売を手掛けるカタログハウス（東京都渋谷区）のカタログ誌「通信生活」が19年1月1日にホームページで公開した意見広告動画「9条球場」も拡散された。

こうした批判もあってか、結局、今国会での実質的な憲法議論は5月28日に行われた衆院憲法審査会の1回だけ。結局、会期の延長を与党が拒否したため6月17日に閉会し、国民投票法改正案は再び継続審議扱いとなった。政治ジャーナリストの角谷浩一氏は「本気で駒を進める気になればできたのに、国会を閉めて自分でできなくしてきた。なのに、また任期中に改憲とはしらじらしい」と話す。「来年の任期内までにやりたいなら工程表があってしかるべきで、国会を閉めずに通年国会でもやればいいのに、やらない。国会を開いていると、河井克行前法相の公選法違反事件など山積みする疑惑で野党に攻撃されるのが嫌だから閉めるのだろう。そうなると憲法改正の本気度が疑われる。「やるやる詐欺」みたいなものだ」

4．コロナ禍での憲法論・人権論

これらに対抗するためにも、このコロナでむしろ高まってる政治意識をエンパワーメントして、これを高め上記の安倍改憲反対のためにも、憲法論・人権論について少し述べていきます。

(1) 東京新聞5月4日の「緊急事態と憲法　弁護士に聞く」

［「九条かながわの会事務局代表」で、人権に詳しい岡田尚弁護士に聞いた。

▼緊急事態宣言はどの憲法条文が関係してくるか。　「まず前文は『恐怖と欠乏から免かれ、平和のうちに生存する権利』と規定している。ウイルスまん延の恐怖や経済的な欠乏が目の前にある今こそ、その意義を確認する必要がある」「13条では『生命、自由及び幸福追求に対する国民の権利』に対して『立法その他の国政の上で、最大の尊重を必要』とされている。幸福追求権のトップに挙げられているのは『生命』だ。命が侵害されようとしている時に、国としてどうするかが問われる」

▼経済の打撃も大きい。　「25条では生存権が保障され、14条で法の下の平等と定めている。働く人に対する救済措置

には、正規・非正規雇用、自営やフリーランスを問わず扱いに差別があってはならない。フリーでも、文化・芸能は特に深刻だ。劇団員などは公演中止とアルバイトの休業で、二重のマイナスに陥っている」

▼日々の市民生活にも多くの影響が出ている。

「21条の集会の自由に関しては、憲法記念日に人が集まることができなくなった。屋内の集会場は『三密』の最たるものだ。22条の移転の自由も、各知事から県をまたぐ移動自粛が呼び掛けられている。26条の教育を受ける権利、27条の勤労の権利、32条の裁判を受ける権利もないに等しい状況だ。身柄を拘束している被告は、保釈を緩やかに認めるべきだ」「国民の『知る権利』につながる21条の表現の自由でも、新型コロナ特措法では『指定公共機関』にＮＨＫが入っており、緊急事態宣言下では首相が指示をすることも可能だ。大変な時こそ情報は隠される。典型は戦争だが、情報がコントロールされないよう格別の監視が求められる。人権の制限、抑圧を厳しく見詰める目と、鋭敏な意識を持つ必要がある」

（2）また5月3日の東京新聞の「新聞を読んで」欄の「新型コロナと憲法」（知り合いの寺町東子弁護士の記事）を紹介します。

〔問題は外出自粛、イベント自粛や施設休業など、緊急事態宣言に伴う経済活動の抑制は、憲法22条で保障された移動の自由・営業の自由の制限であるのに、損失の補償がされていないことである。法律に規定が無くても、「私有財産は正当な補償の下に、公共のために用いることができる」という憲法29条3項の要件を満たせば、損失補償を直接請求できるというのが判例・通説。新型コロナウイルスの感染拡大防止という目的は「公共の利益であり、これを実現するために国民に特別の犠牲を与えている以上、損失補償されるべきであろう。しかし、全国知事会からの損失補償の要請に対して、政府は一貫してこれを否定している（4月10日朝刊2面、18日朝刊3面）。

3月に成立した本年度予算は、防衛費が5・3兆円と史上最高額に。憲法9条による専守防衛の範囲を超え、攻撃型の武器購入が背景にあるという。しかも膨らんだ防衛費の負担を後年度に先送りし、予算を硬直化させており、憲法83条の財政民主主義も逸脱している（1月21日朝刊24、25面）。感染症拡大防止による国民の生命の保護と、経済停滞からの国民生活の保護（憲法25条の生存権）に支出することのほうが優先度が高いはずだ。

今日は憲法記念日だ。緊急事態にあっても、憲法上の人権保障と統治機構の民主的統制が存在することが、私権の過剰な制限を抑制する。特措法の緊急事態宣言の上位に憲法が存在することに意味がある。憲法に緊急事態条項を入れて憲法の統制を外すことには慎重でありたい。」

（3）東京新聞の5月1日の「こちら特報部」で財産権、個人の尊重、表現の自由について述べています。

［「猪野氏が「補償なき休業要請の限界の表れ」とみるのが、大阪などで起きたパチンコ店の店名公表だ。「従業員には生活があり来店客もいるので、なかなか休業の決断ができない。その結果、要請を一日でも長く無視した者勝ち、という状況が生まれた。一方で、行政は見せしめ的な店名公表を行い、結果として業種への差別や偏見をあおる形となった」。個々の企業の犠牲だけでは乗り切れず、財産権の保障が必要と説く。「広くコロナの痛みを受ける事業者の負担、税金による補償でやわらげましょうというのが筋だが、国は一貫して損失補償に後ろ向き。人びとを守るという方針を示してこなかった」

コロナ禍は「表現の自由」も脅かす。21条は「集会、結社及び言論、出版その他一切の表現の自由は、これを保障する」と定める。志田陽子・武蔵野美術大教授（憲法）は「感染症拡大期に、集会の自粛はやむを得ない」とする一方、この行動自粛が言論そのものの萎縮につながることを懸念する。例えば、デモや集会ができないことで、生身の人間が集まることによる意義や魅力、参加という表現自体がそがれてしまうことだ。この行動自粛が「政治を批判している時ではない」と、言論封じ込めの流れにもつながりかねない。政治を監視する民主主義の機能が停滞している中、緊急事態条項の創設をにらんだ「改憲」議論を求める声が与党議員から相次ぐなど、重要な政策が市民抜きで進められる恐れもある。

志田氏は「必要な政策にはニーズを伝え、適切でない政策や不十分すぎる政策には異議も必要だ。憲法16条には請願権も規定されている。この時期だからこそ、政府には国民の意見を吸い上げ、政策に生かす仕組みをつくってもらいたい」。

稲氏は「個人の尊重」を保障する13条が、自由に生存の権利を含む「生命権」を規定すると位置付ける。条文は「生命自由及び幸福追求に対する国民の権利については、公共の福祉に反しない限り、立法その他の国政の上で、最大の尊重を必要とする」と定める。「生命権を考えたとき規制か自由かの二者選択の議論ではコロナ禍は解決しない。緊急事態を続ければ、感染は抑えられるが経済は滞る。それに生命権は命を保護する国の義務とも表裏の関係にある。患者へのPCR検査が不十分で、医療従事者の防護服やマスクも手だてできないという現状は、生命権が保障できていないことになると指摘する。昨年、江東区の公園を会場に6万5０００人を集めた5月３日の恒例の憲法集会は今年、インターネットでの動画配信となり、稲氏（憲法学者）も発言する予定という。「コロナの裏で、定年延長を可能にする検察庁法改正案や、沖縄の辺野古新基地の設計変更申請などの国の動きは続いている。知らずのうちに行動履歴が取得されているなど、プライバシーを侵害する監視社会に歯止めをかける必要もある。コロナ一色に染まった時代だからこそ、憲法を生かす大切さを考えていきたい。」

第4章　コロナと他の重要な課題

今まで述べてきた以外の、このコロナ禍のコロナ期の中で起きている私達が考えなければならない重要な課題について述べます。

1．今までのコロナの初期対応の遅れと国家責任について

（1）専門家会議のPCR検査についての反省見直し発言

①5月8日の東京新聞の「PCR検査抑制論何だったのか」（こちら特報部）の記事です。

〔「新型コロナウイルス政府専門家会議の尾身茂副座長は4日の記者会見で、「日本のPCR検査数は諸外国に比べ非常に少なく不十分」と述べた。思わず耳を疑った人は多いだろう。国は例の「発熱後4日我慢ルール」などで検査に高いハードルを設けてきたし、感染症の専門家も「検査を広げれば医療崩壊する」と盛んに発信していたからだ。今さら「不十分だった」というなら、今までの「検査抑制論」もきちんと総括すべきではないのか。

4日夜に開かれた専門家会議の記者会見。「PCR検査の民間活用や保険適用。何度も議論して、大臣とも議論したが、なかなか進まなかった」。副座長の尾身氏はこう嘆きつつ、検査拡充の必要性を語った。尾身氏が示したのは、4月下旬までの日本の10万人あたり検査数の国際比較だ。イタリア3159件、米国1752件、韓国1198件に対し、日本はわずか187・8件。日本では肺炎診断にコンピューター断層撮影（CT）検査不足を補っているとしつつ、「最低2万件。本当に必要な人、見過ごしている人がいる。軽症者を含む疑い患者に対し、迅速かつ確実に検査を実施する体制に移行すべきだ」と強調。厚生労働省が示してきた「37度5分以上が4日以上」などの相談目安の見直しにも言及した。

しかし、かなり唐突感がある。なぜ今になって、尾身氏はこんな発言をしたのか。「こちら特報部」の取材に対し同氏は「専門家会議が政府を差し置いて、市民に情報を伝えることは、政策決定過程に不要な影響を及ぼし得るため、本来慎

重であるべきだ。ただ、今回は多くの方々に、保健所など現場の困難や努力を理解してもらおうと、やむを得ず会見した」と話す。「我々が意識的に検査数を抑えたというのは誤解であり、3月初旬から検査拡大を要望してきた。ただ、PCR検査は現有の検査リース（資源）を考慮し、そのリソースが足りなければ、一つ一つ障壁を取り除き拡充すべきものだ。『誰か』の不作為や怠慢というより、複合的な要因が重なった、難しい問題と感じている」

ただ、そうした説明には、厳しい見方もある。「尾身氏の発言は、検査の遅れによる重症化や死者が報じられ、検査を求める世論が強まったからだろう」と元都知事で国際政治学者の舛添要一氏は指摘する。２００９年に厚労相として新型インフルエンザに対応した経験から「感染が少ない県から応援を頼むこともできたのに、まだ『検査者のトレーニングが必要』なんて言っている。全くの人ごと」とあきれる。さらに「検査をめぐる議論には、政治的対立も透けて見える。私が『韓国のドライブスルー方式を見習うべきだ』と提言したら、ネットで炎上した。医学や科学からの見地に基づかない攻撃で、安倍政権支持や嫌韓ムードとも重なる」

尾身氏は検査数が増えなかった理由として、相談機能を担う保健所の業務過多や人員減、検査者や防護具の不足など、六つの理由を挙げたが、舛添氏は「もう一つ抜けている話がある」と指摘する。専門家会議が注力してきたクラスター（感染者集団）対策だ。「クラスターつぶしは裏返せば、濃厚接触者しか検査しないということ。屋形船やライブハウスの感染は食い止めても、感染経路不明の人は、救えない。市中感染対策に手が回らなかった専門家の判断も問われるべきだ」。新型コロナの感染者初確認は東京が1月24日、ソウルはその前日。韓国は徹底的な検査・隔離の体制を早期に作り、今や第一波の終息が間近い。日本は政府や医療関係者が韓国式を否定し、ガラパゴス的対策を取ったが終息を見通せていない。結果の違いが、あまりに大きすぎる。〕

②次に海外からの批判について　朝日新聞の5月8日の「政府の対応海外が批判視」の記事を紹介します。

〔新型コロナウイルスへの日本政府の対応について、海外から批判が相次いでいる。特にPCR検査数の少なさに対する指摘が続出。実際にはもっと感染が広がっているのではないかと疑問視されている。外務省は今年度補正予算に24億円を計上し、発信力に躍起になっている。「外務省発信に躍起」と英紙ガーディアン（電子版）は4日、安倍晋三首相が緊急事態宣言を延長したことを詳しく報じた。記事では記者会見でも取り上げられたPCR検査にも言及。「日本では検査の少なさで批判されている。日本のやり方は症状が軽い感染者を特定し、追跡することを困難にしている」と指摘した。

PCR検査に対する批判は以前から根強かった。4月23日に外務省が海外メディア向けに開いた記者会見では「もっと多くの市中感染があるのではないか」などとPCR検査も含め、厳しい質問が20問以上、約1時間続いた。

PCR検査に積極的に取り組んだ韓国のハンギョレ新聞（電子版）も4月30日に社説で「安倍首相は韓国の成功を無視し、軽んじていた。日本政府とマスコミは当初、自国の対応を自画自賛した」と批判した。PCR検査への不信感はメディアにとどまらない。在日米国大使館は4月3日「日本政府が検査を広範には実施しないと決めたことで、罹患した人の割合を正確に把握するのが困難になっている」と訴え、一時的に日本を訪れている米国民に、帰国を求める注意情報を出す事態に発展した。ドイツ大使館も3月末、検査数の少なさを懸念する同様のメッセージを出している。一方、外務省も新型コロナをめぐる海外からの批判に神経をとがらせる。米紙ニューヨーク・タイムズ（電子版）のオピニオン面に2月26日、上智大学の中野晃一教授（政治学）による「新型コロナウイルスの感染拡大への日本政府の対応は驚くほど無能だ」との論評が掲載された。

外務省は今年度補正予算を使い、海外のSNSのコメントなどで動機が事実に反すると判断した投稿がどれだけあるか分析。英語やフランス語などの多言語に加え、映像コンテンツも駆使して日本政府の立場を発信していくという。ただ、この予算に対しても、米紙ワシントン・ポスト（4月15日付電子版）は「経済も株価への執着と、ずるい世論操作のやり方は親友のトランプ米大統領とそっくりだ」と皮肉った。早稲田大学の谷藤まさし教授（政治コミュニケーション）は「安倍政権は唐突に政策を出したり、一夜のうちに変えたりする。失敗をなかなか認めず、なぜ変えたかの説明もほとんどない。（広報の）技術を磨いても説得力は増やさない」と指摘する。〕

③東京新聞5月8日の「国は政策ミス認めて」で「こちら特報部」の記事です。

〔PCR検査については、専門家会議が2月に「限られたPCR検査の資源を、重症化の恐れがある人の検査のために集中させる必要がある」と表明。専門家からは「（検査拡充で）医療機関に患者さんが集中し、医療崩壊を招きかねない」「偽陽性、偽陰性が多い。偽陽性が増えれば病床を逼迫し、偽陰性が増えれば感染を広げる」などと検査拡大を抑制する声が大きかった。検査受信のシステムも検査拡充の壁となってきた。厚労省の「新型コロナウイルス感染症についての相談・受診の目安」には「37・5度以上の発熱が四日以上」「強いだるさ（倦怠感）や息苦しさ（呼吸困難）」がある場合、帰国者・接触者相談センター（保健所など）に連絡をするよう記載。センターが必要と判断すれば医療機関で受信し検査も受けられるが、医師が感染を疑った患者でも検査を受けられないなど、極めてハードルを高くしていた。

だがこうした検査抑制方針は誤りだった可能性が高い。千葉大大学院の日坂貴明教授（臨床薬理学）の研究グループは４月、世界49カ国・地域の検査数、養成者数、死亡者数のデータを分析した結果、「感染拡大初期に十分なＰＣＲ検査を行った国ほど、新型コロナによる死者数は抑えられた」と発表した。検査を受けた人の中の陽性者数の割合（陽性率）が高く、検査が不十分だと、発生前の早期感染者の見落としや重傷者の入院の遅れにつながる。一方、検査を増やせば、陽性率は下がる。ノルウェーなど陽性率が７％未満の国では、それより高い国と比べ、一日の死者数が１～２割程度に抑えられていた。

一方、山梨大の附属病院は当初よりＰＣＲ検査体制を強化してきた。島田真路同大学長は「日本はやり方を始めから間違った。間違えたことをちゃんと認めないといけない」と痛烈に批判。「検査数は世界水準からかけ離れており、今も不十分。途上国並みの検査体制しかない日本は恥ずかしい」とまで言う。島田氏は、安倍晋三首相が一日二万件の検査体制を増やすとしながらも実績が伸びないのは、保健所等行政機関が検査を独占する体制が問題だとする。島田氏は「検査を絞ったことで感染を広げ、結果として重傷者も増やし、医療従事者の負担も増やした。市中感染が広がり、検査が少ないので実数もつかめていない。国は大学病院や大学研究機関、民間検査機関に頭を下げてでも検査体制を広げ、本気で検査を増やすべきだ」と言う。

医師の判断でＰＣＲ検査ができるよう国に求めるインターネット上の署名活動をした群星沖縄臨床研究センター長の徳田安春氏は「それぞれ完全な検査などない。医療はそれを踏まえ、患者の感染の可能性も考慮しながら医学的に判断する。保健所には臨床判断は困難だ。かかりつけ医などの現場の医師に検査適用の判断もさせるべきだ。重傷者に絞ったのも症状の軽い感染者がいるコロナでは妥当ではなく、結果として感染者を広げ封じ込めを困難にした」「世界から日本の検査の仕方が批判される中で、さすが皮肉にも方針の過ちに気づいたのだろうが、ここでこれまでのやり方を検証し、真摯に反省した上で、明確に方針転換をして体制をととえないと第2、第3の感染拡大の波が来る」」と話す。

2．防衛費とコロナ

「Ｆ35戦闘機１０５機アメリカからの２兆４７００億円の追加購入（朝日新聞、２０２０年7月11日付）専守防衛を超えた敵基地攻撃能力の保有論議」との記事を見るたびに、今コロナ禍で生き延びるため数兆円国家予算としてかからざるをえない中、果たして政府が今進めている軍拡と軍事費増大が良いのかどうか、立ち止まって考えざるをえなくなっています。２０２１年度軍事予算は過去最大5兆４８９８億円、12年度末第2次安倍政権発足以来8年連続で増額され、6年連続で過去最大を更新してきました。

（1）東京新聞5月15日の記事です

［「コロナ禍でも強行オスプレイ配備」。新型コロナウイルスによる緊急事態宣言下の8日、自衛隊初の垂直離着陸輸送機Ｖ22オスプレイが、米軍岩国基地（山口県）に陸揚げされた。6月にも陸上自衛隊木更津駐屯地（千葉県木更津市）に暫定配備される予定だが、市民や行政は感染対策で手いっぱいで、安全性や騒音の対話を深める余裕はない。東京高検検事長の定年延長問題で批判が高まる検察庁法改正案にも通じる手法に、「どさくさ紛れの軍備増強」との批判が高まっている。「ＦＭＳ」で購入～米の納期・価格拒めず～横田と連携、首都圏飛び交う恐れ。コロナ禍でもオスプレイ配備が強行されるのはなぜなのか。指摘されるのが、日本が米政府から装備品を直接購入する「対外有償軍事援助（ＦＭＳ）」という制度。気密性の高い装備品が手に入る代わりに、米側が決めた価格と納期に沿って、前払いで買う仕組みのため、止められないのだ。ステルス戦闘機Ｆ35や、地上配備型迎撃システム「イージスアショア」などもそうで、オスプレイは計17機で関連経費を含め約３６００億円の契約となっている。なぜこんな不利な契約をしたのか。軍事ジャーナリストの清谷信一氏は陸自ＯＢの話として、「オスプレイ配備は首相官邸から降ってきた」と話す。「自衛隊が使えば国民は安心し、オスプレイへの拒絶反応も収まるという官邸の思惑から、陸自内部も「2・3機なら仕方ない」という空気があった。ところが17機も導入する上、年間整備費は10機10億円として17機で、１７０億円で、陸自のヘリ整備予算を圧迫する。そういう現場の実態も考えず、米軍でも持て余しているオスプレイを爆買した」

そもそも防衛省は主に南西諸島に当たるためにオスプレイを導入するとしているが、当面の運用は首都圏周辺が中心になりそうだ。防衛省が昨年10月木更津市からの質問に回答した資料によると、訓練で想定している演習場は、関山（新潟県）、相馬原（群馬県）、習志野（千葉県）などが挙がっている。陸自立川駐屯地（東京都立川市）の地元市民グループ「オスプレイを飛ばすな！立川市民の会」馬場和徳会長は「木更津は米軍のオスプレイの整備拠点でそこに陸自分も加わることになる。木更津のオスプレイは立川にも飛んでくると言われており、そばには米軍がオスプレイを配備している横田基地もある。首都圏の空を多数のオスプレイが飛び交うことになる」と危ぶむ。そんな計画がコロナ禍でも着々と進む。

政治評論家の小林吉弥氏は「新型コロナ問題に直面している世界の現状をみても、戦争をしかける国があるとは思えない。検察官の定年を延長する検察庁法改正案もそうだが、今やることじゃない。安倍政権の危機感の乏しさを示している」と切り捨てる。コロナ収束後、社会や経済、各国関係は変化するとみる小林氏は「日米関係も変容するだろうし。国内では倒産や自殺の多発も懸念される。今は感染拡大対策とともに、コロナ後を見据えた日米関係の模索と、経済の立て直しに全エネルギーを注ぐべきだ」と苦言を呈する。日米安保に詳しいジャーナリストの大内要三氏は、陸自宮古島駐屯地（沖縄県）に4月、地対空・地対艦ミサイル部隊が発足したことも挙げ、「国民の目がコロナ問題にそれている中、どさくさに紛れ、市民の反対の声も聴かずに軍備増強が進んでいる」と批判。自衛隊が米国のアジア太平洋戦略の一環に組み込まれていく動きを懸念する。「日米で同じ装備を使って運用する軍事一体化が進んでいる。木更津のオスプレイの訓練予定地も、日米共同で演習などをしている場所。横田の米軍オスプレイとの連携運用も見込んでいるはずだ」

（2）8月27日の東京新聞の「先制攻撃能力」へ道の記事。

［「政府は、地上配備型迎撃システム「イージス・アショア」の配備を撤回したことを受けて、敵基地攻撃能力の保有を含む安全保障政策の見直しの検討を本格化させている。9月中に一定の結論を得る方針だ。相手国内の兵器を攻撃する能力を備えれば、抑止力の向上につながるとの考えだが、逆に周辺国に脅威を与え、緊張を高めかねない。「先制攻撃」が可能になる能力との見方もでき、専守防衛を堅持してきた日本の安保政策を大きく転換させる懸念も高まる。」「敵基地攻撃能力を保有する場合どれくらいの費用が必要なのか。防衛大の武田康裕教授は地上イージスより年間で2倍超という試算をまとめた。すべての装備を独自に持つと年間８６３億円かかり、5兆円を突破した防衛予算をさらに膨張させる懸念がある。」］

（3）東京新聞10月1日の「防衛費最大更新５・４兆円」の記事

［二〇二一年度予算編成で財務省は三十日、各省庁からの概算要求を締め切った。防衛省は総額五兆四千八百九十八億

円に上り、概算時の過去最大を七年連続で更新した。二〇年度当初予算の五兆三千百三十三億円と比べると3・3％増となる。最新鋭ステルス戦闘機F35など、政府が保有を検討する「敵基地攻撃能力」に利用可能な兵器の導入が多数明記された。配備を撤回した地上配備型迎撃システム「イージス・アショア」の代替策の関連費は、金額を示さなかった。

F35Aは四機で計四百二億円、空母の甲板上で離着艦が可能なタイプのF35Bは、二機で二百六十四億円の取得費を計上。F35Aに搭載し、約五百キロの遠距離から攻撃が可能なミサイル七十二億円を盛り込んだ。F35Bを搭載するための「いずも」型護衛艦の改修費は二百三十一億円。甲板の耐熱加工や艦首の形状変更を行い、事実上の空母としての本格運用に踏み出す。レーダーを妨害電波で無力化する電子戦機の開発費百五十三億円も計上。新規事業として、相手国の兵器などを監視するため、複数の小型衛星を運用する「衛星コンステレーション」の研究費二億円を充てた。

こうした兵器は、相手国に接近して警戒網をかいくぐり、目標を攻撃できる性能があり、安倍晋三前首相が退任直前の談話で保有検討を促した敵基地攻撃能力の獲得につながる可能性がある。政府は国家安全保障会議（NSC）で能力保有の可否を検討し、年末までに結論を出す方針。

F35などの米国製兵器を導入する際に多く適用される契約方式で、米政府が一方的に契約価格や納入期限を変更できる「対外有償軍事援助（FMS）」による調達費は、昨年度の概算要求より34％減り三千二百八十六億円だった。

例年、二千億円程度に上る米軍再編関連経費は金額を示さない事項要求としており、こめ分を追加すると予算総額はさらに膨らむ見通しだ。」

（4）日本経済新聞令和2年6月20日『東南ア、防衛費を圧縮』

〔東南アジア諸国が防衛費を圧縮し、新型コロナウイルス対策に財源を振り向け始めた。一部の国は、南シナ海の領有権などを巡り中国との緊張を高めており、防衛当局者が懸念を強める。安全保障面での米国との協調に影を落とし、地域に新たな隙を生みかねない。ASEANの総人口の4割を占めるインドネシアは、2020年の防衛費を当初の131兆ルピア（約1兆円）から7％削減し、新型コロナ対策にあてると決めた。中国と南シナ海の領有権を争うフィリピンのロレンザーナ国防相は、20年の防衛費の一部を新型コロナ対策に回すことを容認する考えを表明した。マレーシアは近年、財政再建の一環で防衛費削減を続けてきた。新型コロナ対策や原油安で財政が悪化し、この傾向を強めるとみられる。タイも20年度予算（19年10月～20年9月）で、国防省に割り当てた２３３０億バーツ（約8千億円）の８％を削減する。ストックホルム国際平和研究所（SIPRI）によると、19年の東南アジア各国の防衛費は合計で４０５億ドル（約4兆３３００億円）と10年前に比べて約4割増えた。中国の海洋進出への警戒を背景に、高い経済成長で得た予算を軍備に回してきた。しかし、東南アジア諸国の大半は、新型コロナからの経済回復を優先する。短期の投資効果が見えない防衛費は、削減の対象になりやすい。〕

3．教育とコロナ

（1）東京新聞5月20日の『9月入学』議論より学校再開の記事

〔新型コロナウイルス感染拡大で長期休校が続く中、学習の遅れに対応するなどして、政府は「9月入学制」の検討を始めた。だが、過去何度も検討されながら課題が多く頓挫してきた9月入学制を、この混乱期に進めることには疑問が浮かぶ。「休校に感染拡大防止効果なし」との意見も小児医療専門家から上がる中、まずは安倍晋三首相の独断で始まった休校を早急に解除し、学校を正常化してからの話ではないのか。

共同通信が今月行った世論調査では、9月入学に賛成が33・３％で、反対の19・５％を上回った。しかし、日本教育学会は11日、「議論を深めず拙速に導入すれば、かえって大きな混乱を招く」との声明を発表した。同学会長で日本大学の広田照幸教授（教育社会学）は「9月入学制は、１９８７年の臨時教育審議会の提言以来、古くからある議論。欧米に合わせて海外留学や国際企業への就職もしやすいという発想だが、一時的に拡大する学年への対応などがネックで立ち消えになった」。第一次安倍政権下の２００７年には、教育再生会議が大学での9月入学を再び提案。こちらは学長の裁量で導入可能になったが、高校卒業後に空白期間ができたり、日本企業の一括採用時期とずれが生じたりして定着していない。

「政治が急に9月入学へ着目し出したのは、２つの問題を解消したいからだと感じる」と、18日自民党本部のヒヤリングを受けた慶応義塾大学の中室牧子教授（教育経済学）はそう話す。授業日数不足による「平均的な学力低下」と勉強が出来る子とできない子の「学力格差」だ。いずれも生涯賃金低下を招くなど、将来的に悪影響が出ることが海外のデータから明らかになっている。ただ、中室氏は「まず、問題解決の手段として9月入学が妥当なのかを考えないと。すると、夏休み短縮や土曜授業をすることで、それほど費用をかけずに対応できると分かるはず。９月入学ありきの議論はやめるべきだ」と強調する。

▼小児科医が指摘する「休校の弊害」　そもそも「9月入学」などという議論がなぜ出てきたのか。それは最長で3ヶ月に及ぶ学校の休校が原因だ。新型コロナ感染拡大防止を名目に、安倍首相が2月下旬、専門家会議にも諮らずに独断で全国一斉休校を要請したのが発端だ。ではその休校は、本当に感染拡大防止に役立ったのか。小児科医の森内浩幸長崎大教授（感染症）は否定的だ。日本小児科学校の予防接種・感染症対策委員会の理事でもある森内氏は、「小児の新型コロナウイルス感染症に関する医学的知見の現状」と題した見解を、福岡看護大の岡田賢司教授と連盟で発表した。見解は、国内外の報告をもとに、①新型コロナウイルスの患者のうち、子どもの占める割合が少なく、ほとんどが家庭内の感染、②現時点では学校や保育園におけるクラスター（感染者集団）はないか、あっても極めてまれ、③学校や保育所などの閉鎖は流行を防ぐ効果に乏しく、医療従事者が休業せざるをえなくなり、新型コロナによる死亡率を高める可能性があるなどと指摘。子どもたち同士の感染リスクは低く、休校は感染拡大の防止にはつながっていないとする。

森内氏は「新型コロナウイルスの感染は子どもの間で感染爆発が起きるインフルエンザとは違う」として、むしろ、休校にし続けるデメリットを考えるべきだと訴える。「友達にも先生にも会えず、家に閉じこもる子らの心身の健康や学習に問題が起きている。残念だが、親からの虐待も増えている」。医療関係者の子どもの保育が、感染リスクを理由にして断られるケースもあるという。「こうなると医療現場が人手不足になり、死亡率を引き上げることにもなりかねない」。休校効果に根拠がないのに、その休校を理由に9月入学生というのは間尺に合わない。「政権運営への批判も強まる中、何かやるだろうとは思っていたが、それが9月入学とはショックドクトリンだ。自らの利益のため惨事に便乗している」と憤るのは、愛知工業大の中嶋哲彦教授（教育学）。中嶋氏は、まずは休校をやめ、その上で現在の子どもたちの学習面や心身のフォローを考えるのが最優先だとする。「オンライン授業が万能のように言われたりするが、家庭間の経済格差もあり、インターネット環境がなく学習できない子は大勢いる。またネット依存は子どもの心身にも影響を及ぼす。教師が子どもの反応を目の前で確認する授業は大切だ」

9月入学を本当に進めるなら、小中高で一時的に児童生徒が増える分、教員や教室が必要になる。教員の定年延長や採用も必要となる。財政負担も巨額になりそうだ。中嶋氏はそうした大きな転換をこの時期に議論することの悪影響を懸念する。「学校側には運営の不確定要素が増える。教師はこれから学校再開に向け、子どもたちのケアに当たらなくてはならず、考えること、準備すべきことが山程あるように、学校がいつまでも落ち着かず、何に対応すべきかがわからなくなる。混乱と不安を増やすだけだ」。東北大の青木栄一准教授（教育行政学）は「今回の休校の政策目的は感染爆発を防ぐという、公衆衛生の問題だったのに、再開の今は、いつの間にか９月入学という教育政策の問題にすり替わった」と指摘。「本来は公衆衛生の問題として休校にしたのだから、学校再開も公衆衛生上の根拠が必要なはずだが、もともときちんとした根拠があって休校にしたわけではないからこうなる。一度休校したら再開に不安の声があるのも当然だ。政府は状況をもっと可視化し、根拠を示した政策を進めるべきだ」とくぎを刺した。」

（２）「新型コロナウイルス感染症と子どもの権利に関する声明」

私も共同代表になっている〈子ども権利条約市民・ＮＧＯの会〉から「新型コロナウイルス感染症と子どもの権利に関する声明」（新自由主義をストップさせ、子どもの権利に基づく全面的な改革に切り替えよう）を６月８日出しました。（代表堀尾輝久、事務局長　世取山洋介）

①新型コロナウイルス感染症の拡大への対応が子どもにもたらした困難

昨年末に中国の武漢市で発生して爆発的に拡大した新型コロナウイルス感染症（ＣＯＶＩＤ＝19）は、グローバル化時代を背景にして瞬く間に世界各国・地域に拡がるパンデミック（世界的大流行）となり、発生から５ヶ月をへても終息の兆しが見えていません。欧米の先進諸国を中心に世界の感染者は６７０万人を超え、死者は40万人に迫り（６月５日現在）、なお１日に10万人超の感染者と４～５千人の死者が新たに出ており、今後は医療制度や公衆衛生の脆弱な中南米、東南アジアやアフリカ諸国へのさらなる感染拡大が懸念されています。日本を含む東アジアやオセアニア、欧米の一部の国では、学校や経済活動の再開などに踏み出していますが、世界保健機関（ＷＨＯ）は油断をすれば第２波、第３波の襲来もあると強く警告しています。

新型コロナウイルスは、感染者の飛沫や濃厚接触によって人から人に伝播する強い感染力と高齢感染者を中心に高い致死力を持っている手ごわい未知のウイルスです。ワクチンや有効な治療薬がないために、感染拡大を防止するほとんど唯一の対策として、医療や食品の流通販売などを除く社会経済活動を中断・自粛することによって、人と人との交流や接触を最大限に制限するという方策が採られてきました。

子どもと大人とが密接にかかわる場である保育園や学校も一斉に休園・休校とされ、公園の遊具さえも使用禁止とされました。子どもは友だちや先生との人間関係はもとより、成長発達にとって不可欠の遊びや学びの権利を享受できなくなり、もっぱら親（保護者）が、狭い家のなかでそれらを孤立したまま引き受けることを余儀なくされてしまったのです。

子どもの人間としての成長発達は、同世代の子どもとのかかわりや遊びの中で、自分たちの要求を確認し、身近な大人に要求を自由に出し、満たしてもらう、そして、遊びや学びを通して新しい要求をつくっていくというプロセスをたどります。子どもの成長発達には、自由な遊びと学び、そして、友達や、親、保育士、学童の指導員、施設の職員、学校の教師など身近な大人とのかかわりが不可欠となります。しかし、新型コロナウイルス感染症から子どもの健康と命を守るために実施された一斉休校などの対策は、子どもの成長発達にとって不可欠の遊びや学び、そして人間関係を、長期にわたって子どもたちから奪うという重大な困難をもたらしてきたのです。

②新型コロナウイルス感染症の拡大のもと痛感させられたこと。

この数か月間、子どもの人間としての成長発達を保障することに関わって、いくつかの重要なことを痛感させられました。

まずは、子どもは新型コロナウイルス感染症の拡大に対応する主体であるとは認められず、置いてきぼりにされてきたということです。子ども自身が自らの要求を大人や社会に自由に表明するための機会が意識的に用意されることはありませんでした。新型コロナウイルス感染症とは何か、それに対応するには何が求められているのかといった情報が、子どもに分かりやすい形で系統的に提供されることもありませんでした。何を我慢しなくてはいけないのか、あるいは、何を我慢すべきではないのかを考える際に、あるいは、新しい施策を立案する際にできるだけ多くの子どもの声を聴くということもされませんでした。

次に、子どもの成長発達が親に丸投げされてしまったために、親の意識、資力や情報量の差によって、子どもが享受できることがらに不平等や格差が生まれてしまったということです。緊急事態宣言のもとでの営業自粛により、親の収入が減り、あるいは、非正規雇用で働いている親が職と収入を失うことで、このような格差はさらに拡大しました。また、給与を得ることのできる仕事がありながら、昼の間、子どもをケアしなくてはいけないために仕事ができず、収入が減少ないしは消滅した親もいます。一部の富裕な家庭を除いて、すべての家庭に経済的困難が襲い掛かり、子育てをしているほとんどの家庭に経済的支援が必要となりました。

さらに、これまで家庭に虐待などの問題があったとしても、日中は保育園や学校で過ごすことで被害を免れ、あるいは、そこから児童相談所に通告されて助かるということがありましたが、それもなくなり、問題が悪化してしまいました。家に居場所のない少女が、家の外での寝場所を確保するために性的搾取の犠牲となるケースも増加し、意図しない妊娠をする事態が国会で取り上げられていました。

そして、子どもの人間としての成長発達は、いわゆる勉強だけでなく、遊ぶこと、体を動かすこと、読むこと、観ること、感じること、休むこと、友達と様々な時間を過ごすこと、いろんな大人といろんな話をすることから成り立っているので、保育所や学校、そして公園などをみんなの力を束ね併せて運営し、保育士、教師、学童保育所や遊び場の指導員と親が一緒になって子育てに当たることが不可欠なのだ、ということも実感されました。子どもの発達に必要とされる多様なことがらを親と多様な専門家が共同して行うということを、非常事態のもとにおいてもなお実行することの重要性が意識されるようになり、そのための取り組みが始まっています。

③政府による対応の問題点

２月以降の４か月間、政府がとってきた子どもに関わる施策は、私たちが痛感した以上のようなことに、正面から向き合うものではありませんでした。

〈ア．学習指導要領の完全実施以外は眼中になし〉

政府の施策と言えば、教育に特化し、しかも、「学びの遅れ」を取り戻すこと、すなわち、学習指導要領に定められていることのすべてを、定められた期間までに終わらせることに焦点が当てられてしまいました。「学びの遅れ」を来年３月までに取り戻すことはできないことが分かると、官邸主導で、２０２０年度を２０２１年3月末から8月末にまで延期し、それに合わせて、２０２１年度の始期を9月にすべきという議論（9月入学論）も登場しました。家庭学習が成績評価の対象とされてしまったので、親、特に母親が学校の下請けの役割を負わされてしまっています。そして、オンライン学習構想だけが条件格差を無視して前倒し的に実施されようとしています。

〈イ．矛盾が集中した保育園・学童保育〉

学校以外のことについてはほとんど無策と言ってよい状況となりました。

2月末に学校を一斉休校にしながら、就労などのために昼間子どもの面倒を見る親のいない子どもに関する施策に特別の手当てを加えることなく、そのままにしておいたために、保育園や学童保育が特別の困難に単独で向かわざるを得なくなりました。保育園ではコロナウイルス感染症拡大防止のために必要なマスクや消毒液などの備品が整えられず、危険を覚悟で保育に当たらざるを得ないという事態が生まれました。また、学童保育は午前中から保育を開始せざるを得なくなったものの（学童保育の一日保育化）、人員は拡充されず、指導員が必死の努力で対応するという事態も生まれています。

〈ウ．遊び、文化的・芸術的活動は無視〉

子どもの成長発達に不可欠な遊びを実現するための施策は、中央レベルにあっては皆無です。自治体が独自の施策を取らないところでは、公園では「使用禁止」の張り紙が張られた遊具を横目に大勢の親子が集る一方で、学校の広い校庭にはだれもいないという光景が展開しています。また、比較的小規模の人数で行われる舞台芸術や文化活動も、いわゆる三密にあたるため全くできなくなり、芸術鑑賞教室や地域文化団体の鑑賞活動などの文化活動や芸術・芸能団体は、存続が危ぶまれる事態です。

〈エ．障害のある子どもは放課後デイにまかせっきり〉

突然の一斉休校要請は、障害のある子どもたちにとっても厳しいものでした。障害児教育は、人とのかかわりを通じた学びが根幹に位置づいており、一人一人の障害への配慮や、実態に応じたより丁寧な対応が必要とされています。今回のあまりにも急な休校は、時間的にも内容的にも十分な対応ができないまま、障害のある子どもにとっては日常生活が急変してしまい、精神不安となりパニックに陥る子どもたちの姿がありました。また、障害のある学齢児のための福祉サービスとして「放課後デイサービス」（以下放課後デイ）がありますが、休校要請と同日、厚生労働省は放課後デイの原則開所を事務連絡として発出しました。しかも可能な限り長時間対応すること、つまり放課後デイが本来の放課後のみならず、休校によって日中居場所のなくなった子どもの受け皿になることを求めたのです。空間も狭く、外遊びもできない状況であっても、各地の放課後デイは、子どもたちのいのちと日常生活を守ろうと必死で事業を続けてきました。一日に受け入れる子どもの数を減らし、開所の時間を延ばすことで対応してきました。休校要請が延長され、もともと問題であった受け入れた子どもの人数を基準とする日額報酬という制度のもとで、事業の継続が危ぶまれる状況が生まれてきています。

〈オ．貧困家庭に対する支援の欠如〉

一人当たり10万円の普遍的現金給付を一回だけ実施することになりましたが、当初政府は、貧困家庭への選別的現金給付に固執し、コロナ不況がほとんどすべての家庭に襲い掛かっていることを認識できていませんでした。家庭の経済的状況にもとづくＩＴ環境へのアクセスにおける格差は放置されたままです。また、子ども食堂や学習支援事業など、地域で自主的に展開し、拡大しつつあった貧困家庭の子どものための事業に対しては、何ら特別な対応はせず、事業者の自己責任を強要してしまったために、新型コロナウイル感染症拡大を契機にストップされざるを得なくなり、貧困家庭や外国人家庭の子どもなど、もともと困難を抱えていた子どもをいっそうきびしい状況に追い込んでしまいました。

そして、児童虐待や10代の意図しない妊娠が激増しているにもかかわらず、児童相談所や各種相談活動を強化するための措置はとられていません。

〈カ．子どもの保護のための施策の欠如〉

④過去４カ月にわたる政府の施策の子どもの権利に基づく検証

過去４か月間の政府による対応は、子どもの権利という観点から見た場合、いくつもの問題があります。

第１．あまりにも視野が狭く、もっぱら教育に焦点が当てられ、子どもの遊びや自由時間が忘れ去られているうえ、焦点が当てられている教育についても、学習指導要領の完全な履修だけが考慮され、肝心の子どもの人格の全面的な発達という教育の第１目的が考慮に入れられていないこと。

第２．コロナウイルス感染症の拡大への対応のもと人間的な接触の機会を大幅に制限されているという子どもの困難の大本を直視する施策が存在しないこと。

第３．子どもに我慢をさせるのではなく、自由に意見を表明させるべきであり、参加を通じて子どもは成長発達していくのだという視点が存在しないこと。

第４．親はもとより、様々な問題を現場で実感している教員、指導員や職員が主体となって、子どもとともに子どもの権利を実現するための施策を練り上げていくべきなのだという視点がないこと。

第５．子育て家庭が少数の富裕層と大多数の貧困層へと急速に２分化しているにもかかわらず、拡大する貧困家庭の子どもの置かれている実態を把握するための措置や、みんなが利用できる現物給付や現金給付の拡大を軸とする格差・不平等是正のための措置がとられていないこと。

第6．新型コロナウイルス感染症の拡大への対応のもとで、それ以前よりもより大きな困難に直面することになった家庭で虐待を受けている子どもや家庭に居場所がない子どもの保護のための施策が存在しないこと。

第7．児童福祉施設に暮らす子どもが学校に行けないため、昼間も子どもをケアしなくてはならなくなったにもかかわらず、職員の数を増やすなどの措置がなされず、コロナウイルスに子どもが感染した場合の対応についての全国的ガイドランもないなど、児童福祉施設が直面する困難を解決する施策がとられていないこと。また、児童福祉施設で暮らす子どもが、アルバイトができなくなったために、将来の自立のための経済的準備ができなくなっていることへの対応もなされていないこと。

第8．障害のある子どもなど特別な困難を有する子どもが直面するに至った新しい困難を包括的に把握するための努力がなされていないこと。

第9．学校、保育園、学童保育や児童養護施設で働く職員が、新型コロナウイルスに感染した場合の補償がないこと。

第10．子どもは新型コロナウイルス感染症にどれくらい罹患しやすく、発症しやすいのか、子ども同士、子ども・大人間では感染の危険性に違いはあるのか、といった基礎的なことがらに関する科学的知見が共有されず、子どもを感染症から守るために必要とされる子どもの活動の制限をより少なくする措置を確定できなかったこと。

これらの問題点の多くは、新型コロナウイルス感染症の拡大への対応のなかで初めて浮上したものではありません。それらの多くは、感染症拡大以前から存在し、国連子どもの権利委員会からも問題として指摘され、そして、この数か月の間にさらに悪化、あるいは、はっきりと見えるようになったものなのです。

２０１９年3月に、国連子どもの権利委員会が公表した第４・５回日本政府報告に関する最終所見では、①子どもの力を伸ばすような（empowered）参加を実現すべきこと（パラ22）、②子どもの保護に関する包括的な施策を確立すること（パラ8）、③社会の競争的性格から子ども時代をまもるための施策を取り（パラ20）、「あまりにも競争的な」教育制度から子どもを解放するための施策を取ること（パラ39）、そして、④普遍的な現金給付を含めて親に対する社会的支援を強化することが勧告されていました（パラ38）。①は先の第1に、②は先の第5に、③は先の第2と第3に、④は第４に対応しています。

⑤緊急的な対策と子どもの権利を恒常的に実現するための改革とを一体的に

コロナ感染症拡大以前から存在していた「日本における子どもの権利をめぐる数々の問題」は、実は、新自由主義という考え方に基づく改革により、公教育の性格が変容させられ、あるいは、保育などに典型的にみられるように条件整備基準が後退させられて、制度が貧弱なものとなってしまったことに由来しています。新自由主義改革の欠点がコロナ感染症の拡大で露呈した、ということもできます。

今求められているのはコロナ感染症拡大以前の改革をストップさせること、そして、公教育、家庭、保育、学童、社会的養護などを、子どもの権利に基づいて全面的に改革していくことなのです。

私達、子どもの権利条約市民・ＮＧＯの会は、過去4か月間の教訓を踏まえ、コロナ感染拡大後に初めて生まれた困難と、コロナ感染拡大以前からあり、コロナ感染拡大後に拡大化、顕在化した困難とを一体的に把握し、それを解決するための緊急的な措置およびコロナ感染拡大後に拡大化、顕在化した困難を解決する恒常的な措置を一体的に取って行くべきであると考えます。そして、２０１９年2月に国連子どもの権利委員会が公にした最終所見を踏まえて、以下のことを提案します。

第1．コロナウイルス感染症の拡大への対応のもと人間的な接触の機会を大幅に制限されているという子どもの困難の大本にメスを入れることをすべての施策の基本とすること。例えば、教育においては、子どもの要求に耳を傾け、それに応える教育を実行できるようにすることを基本とし、そのために少人数学級を実現し、学習指導要領の法的拘束力を撤回して、学習指導要領の完全履修に固執することなく、現場の総意に基づく教育を保障すること。

第2．参加を通じて子どもが人間として成長発達するという条理を踏まえ、施策の策定および施策の影響評価にあたって子どもの参加を全面的に実現すること。例えば、児童養護施設に暮らす子どもに給付される「特別定額給付金」は、子どもの声に基づいてその使い方を決めていくべきこと。

第3．すべての子どもが親の資力に関係なく、ＩＴに自由にアクセスし、ＩＴを通じて自由に情報を受け、発信できるようにすること。

第4．親や、保育園、学校等の教職員が子どもの権利を現場において実現する責任と自由を全面的に承認し、自由と責任を発揮することを可能にする条件を提供すること。

第5．子育て家庭が少数の富裕層と大多数の貧困層へと急速に2分化していることを直視し、普遍的現物給付の水準を向上させ、無償性を拡大することや、普遍的現金給付を拡充することを優先させながら、再配分を強化すること によって対応すること。

第6．家庭で虐待を受けている子ども、家庭に居場所がない子ども、性的搾取の犠牲となりやすい子どもの保護のための施策を、児童相談所の拡充を含めて、抜本的に拡充すること。

第7．児童福祉施設で暮らす子どもとそこで働く職員、および、障害のある子どもと特別支援学校や放課後デイケアで働く教職員が直面するに至った新しい困難を包括的に把握し、それを解決するための措置を取ること。

第8．人格の全面的発達という教育の第1目的を想起し、保育所、学校、学童保育所において、子どもの遊びと学び、そして、自由時間を一体的に実現するためのあらゆる適当な措置を取ること。それとは無関係な9月入学論を破棄し、教育の個別化最適化という旗のもとに格差を拡大させるオンライン学習を実施することをやめること。

第9．新型コロナウイルス感染症の拡大を「学び」に変換するための努力を助長し、国際的に立ち後れている性教育を含む健康教育や新型ウイルス拡散の元凶となっている自然破壊についての環境教育や生活学習・総合学習の奨励など、今だからこそできる、あるいはしなくてはならない「学び」を奨励すること。

第10．新型コロナウイルス感染が再度拡大しても休校や休園をしなくてもすむよう、施設・設備や職員数などの基準を改正し、予算的措置を取ること。例えば、分散登校のもとで20人以下の少人数学級が、子どもの人間的な成長発達を実現するのにふさわしい学級規模だと実感されるようになっているので、学級定数を改善し、予算をつけて20人学級を実現し、学校を「感染症に強い」ものにしていくこと。

第11．新型コロナウイルス感染症の子どもの罹患と発症の固有性に関する科学的知見を国が集約し、子どもを感染から守るために必要とされる、子どもの行動の制限がより少ない措置を国の責任で実施すること。

おわりに、私たちは、日本の子ども期が2012年以降、新自由主義という考え方に基づく改革によって貧困化していることを明らかにする報告書、『日本における子ども期の貧困化―新自由主義と新国家主義のもとで』を2017年に国連に提出しました。国連子どもの権利委員会は2019年3月に日本政府第4・5回報告に対する「最終所見」を公表し、私たちの主張に強く共鳴する懸念と勧告を日本政府に示しています。私たちが示した11の提言は、私たちの分析そして国連子どもの権利委員会の懸念と勧告を踏まえて作成されたものです。

４．環境問題とコロナ

（１）地球温暖化対策

コロナの時代持続可能な地球へ、今こそ立ち止まり変革する時と私も思っています。10月22日の各紙の報道です。

〔「地球温暖化対策に向けた国内の二酸化炭素（CO_2）など温室効果ガスの削減目標について、政府は２０５０年までに温室効果ガスの排出を「実質ゼロ」とする方針を固めた。菅義偉首相が、26日に開会する臨時国会の所信表明演説で方針を示す方向で調整している。

地球温暖化対策の国際ルールは、２０１５年にパリで開かれた国連気候変動枠組み条約第21回締約国会議（ＣＯＰ21）で採択され、20年に協定の下での取り組みが本格的に始まった。「産業革命（18世紀）前からの気温上昇を2度未満、可能なら１・５度に抑える目標を掲げ、21世紀後半に世界全体で温室効果ガス排出を実質ゼロにすることを目指す。途上国を含む全ての国に削減に取り組むことを義務づけ、締結国は削減目標を自ら決めて5年ごとに見直す」とし、１８９カ国・地域が批准（21日現在）しています。〕

新型コロナウイルスの感染拡大で、地球環境問題への取り組みが停滞を余儀なくされています。だが、コロナ問題と共に環境危機は将来に渡って人類を脅かします。

国際エネルギー機関は、脱炭素の取り組みなどエネルギー政策の転換に、毎年1兆ドル（約１１０兆円）ずつ3年間投じる復興計画を提案しています。

再生可能エネルギーの普及、送電網の効率化などに積極的に投資することで、毎年９００万人の雇用が生まれ、実現すれば世界の経済成長率を年平均１・１ポイント押し上げるとも試算しています。

欧州では、環境分野への投資で経済復興を目指す「緑の復興」への模索が始まっています。

世界の知識人や経済人で作る「ローマ・クラブ」は72年、報告書「成長の限界」で「人口増加と環境汚染がこのまま進めば地球の成長は１００年以内に限界に達する」と指摘しました。だが、経済成長に突き進む当時の世界は、警告を真剣に受け止めませんでした。

その間に温暖化が進み、気候変動を招き、熱波や干ばつ、水害が人々の命を奪い、住まいを追われた人々が難民となって、地球と人類の持続可能性が問われる事態が各地で表面化しています。国連のグテーレス事務総長は現状を「気候危機」と呼んでいますが、手遅れになる前に行動する必要があります。

（2）世界自然保護基金

世界約100カ国以上で活動しているNGO・世界自然保護基金（WWF）は、6月17日、次のパンデミックを防ぐための緊急行動を呼びかける「報告書」を発表しています。

その中で、動物由来感染症の主要な要因として、次の3つの点を指摘しています。一つは森林破壊などにより生じた新たな病原体との接触。2つ目は自然との調和を欠いた農業や畜産の拡大。3つ目は病原体を拡散させる野生生物の取引です。こうした3つの点を具体的に告発し、これらのどれもが、人間による無秩序な生態系への侵入、環境破壊が新たな感染症をもたらしたことを示しています。そして、次のパンデミックを防ぐうえで、健全な環境、人間の健康、動物の健康を、1つの健康と考える「ワンヘルス」アプローチを提起しています。

具体的には、①感染症を拡散させる恐れのある野生生物の取引と消費を抑制すること、②森林破壊を防ぎ土地利用の転換を抑制すること、③持続可能な食料の生産と消費が可能な社会に移行する必要性を訴えています。動物とヒトとそれをとりまく生態系の健康を、一つの健康ととらえる「ワンヘルス」アプローチは、地球の未来、人類の未来にとってきわめて重要な考えです。

（3）地球環境とグリーン・ニューディール政策

①岩波書店世界6月号「特集2　大恐慌とグリーン・ニューディール」の「パンデミックがもたらす急激な経済収縮」の諸富徹京都大大学院教授の論文を紹介します。

［今年に入って突然起きた大きな経済ショックに対して、各国とも迅速かつ大規模な経済対策の立案・実行に移っている。ただし、過去の経済危機と大きく異なるのは、感染が広がっている間は、公共事業などの拡大で経済活動を刺激することができない点だ。むしろ人命と健康を第一に、経済活動を人為的に止め、人と人の接触を極小化させる「社会的距離」政策を取り続けなければならない。必要なことは、これによって所得を失う人々を支え、事業継続の危機に陥る企業や商店

を支援することである。すでに一人あたり一律10万円の直接給付、休業補償、無利子融資などの手立てがとられているのはそのためである。

企業は人と人の接触を8割削減するという要請下で仕事を継続するために、前例のない規模で在宅勤務に移りつつある。大学も同様で、講義、演習、学内の会議等が一挙にオンラインに移行する。あらゆる障壁を突破して、新しい技術の採用・実装に道を開いた。必要に迫られて採用した新しい技術、仕事・生活スタイルは徐々に定着し、危機が去っても元には戻らない。

オフィスだけでなく、工場など生産・物流の現場でも対面接触を避けるため、デジタル技術を通じて生産・物流過程を無人でコントロールしつつ、その効率性を最大限引き上げる試みも加速するだろう。それは、「モノのインターネットを活用した第四次産業革命の文脈」で語られてきたことでもあるのだが。新型コロナによるパンデミックは、間違いなく戦後最大の災厄の一つだが、それが経済に与えるショックの大きさもまた、戦後最大級かもしれない。経済収縮というショックをもたらすだけでなく、パンデミック後の経済の姿を大きく変えていく力をもつかもしれない。それは、対面接触をできる限り避けつつ円滑な経済活動を可能にする「非接触経済」ともいうべき、新しい経済システムの樹立をもたらす。筆者には、「あれが分岐点だった」と後に振り返ることになる変化が、パンデミックによって引き起こされる可能性が高いように思われる。

古い経済が新しい経済によって置き換えられ、新しい形での産業創出と雇用創出が行われるのは歴史の常である。もう一つの副次的効果を生み出す。温室効果ガスの減少である。

結果として、こうした産業構造転換は、経済の縮小をともなわずに温室効果ガス排出の削減をもたらす。経済成長と温室効果ガス排出の切り離しが行われていたという意味で、こうした変化は、「デカップリング」と呼ばれている。今回のパンデミックは、資本主義的転回の加速を通じて、温室効果ガス排出を減らしながら経済成長を促す経済システムへの移行へ向けた、重大な契機となるかもしれない。

もっとも、こうした過程が移行期待特有の痛みを伴わないわけにはいかない。ＥＵが新たに２０１９年11月に掲げ、またアメリカでも民主党のオカシオ＝コルテス下院議員らによって法案提出が進められたグリーン・ニューディールの意義は、こうした変革で生じる痛みをいかに和らげつつ、しかし必要な変革は断固として推し進めていくための包括的な政策体型を準備した、という点にあると筆者は考えている。両提案では、「公正な移行」というべきプログラムの下で、産業構造転換を円滑に進め、一時的に生じる失業から労働者を守り、プロセスを包摂的に進めていくことが謳われている。グリーン・ニューディールの名はもちろん、世界大恐慌時にアメリカのローズベルト大統領によって進められたニューディール政策に因んでいる。

かつてニューディール政策がTVAをはじめとする公共事業を大規模に展開したように、グリーン・ニューディールもまた、環境を軸とした大規模公共事業による景気回復、雇用創出を図る政策だと理解されがちだ。しかし、EUのグリーン・ニューディール政策の真の狙いは、2050年までに産業部門からの温室効果ガス排出を実質ゼロ（気候中立）にもっていく、きわめて野心的な「グリーン産業政策」を提案した点にある。脱炭素への移行を目指すグリーン・ニューディールを議論するならば、産業のあり方をどうするのか、という論点を避けては通れない。

重厚長大産業、あるいは温室効果ガス大量排出業種が長らく政治的に強い影響力を行使してきた日本では、デジタル化や脱炭素化への遅れが生じ、それが日本経済の成長の足を引っ張ってきた。グリーン・ニューディール政策は、この点で過去の産業政策からの脱却を図り、「非物質化（デジタル化）」と「脱炭素化」に取り組むことにより、労働生産性と炭素生産性を引き上げ、日本経済を新しい成長軌道に乗せる役割を担う必要がある。これを実現するには、企業による脱炭素化投資とともに、人的資本への投資、無形資産への投資が必要になる。こうした投資が継続され、新たな資本蓄積がおこなわれるようになると、日本企業の姿、日本の産業の姿は大きく変わっていくだろう。

これまで日本企業は、人的資本への投資を節約し、賃金を抑制し、そして環境保全への積極的な取り組みを控えることによってコストを削減し、利潤を確保しようとしてきた。だが、そうして日本経済は成功してきたと言えるのだろうか。多くの証拠によれば、残念ながら答えは「否」である。日本企業は、欧州企業と比べての付加価値創出で後塵を拝してきた。逆説的にみえるが、人への投資を増やし、賃金水準を引き上げて所得分配を改善し、そして環境保全により多くの投資を行うことこそが、実は成長への近道となる。短期的にはパンデミックからの脱却、そして中長期的には寄与する産業こそが生き残る。グリーン・ニューディールがこうした新しい経済発展の道を切り開く転換点となることを期待したい）。

②また環境エネルギー政策研究所所長の飯田哲也氏は、前述の「世界」で「複合危機をどう乗り越えるか」で次の通り述べています。

（２０１９年2月7日に「10年以内に炭素排出ゼロ、１００％再生可能エネルギーに移行」を目指すアメリカの下院決議案が発表された。現在進行中のアメリカ大統領選挙でも、グリーン・ニューディール政策は焦点の一つとなっている。

欧州でも２０１９年12月に発足して欧州連合（ＥＵ）の新体制（フォン・デア・ライエン委員長）のもとで、２０５０年までに炭素中立を目指す「欧州グリーンディール」を優先課題の筆頭に位置付けている。背景には気候変動への危機感がある。ＥＵが２０１９年秋に行なった世論調査では、気候変動への懸念が年々高まっており、経済やテロを上回り移民に次ぐ二番目となっている（移民への懸念は下がってきている）。米国でも民主党支持者の9割が気候変動への懸念を表明している。（ただし共和党支持者では5割以下と割れている。）こうした危機感を象徴するのが、２０１８年8月に「気候のための学校ストライキ」という看板を掲げ、たった一人でデモを始めた当時15歳だったスウェーデンのグレタ・トゥーンベリだ。その後、彼女に触発され賛同した若者を中心とする人々が「未来のための金曜日」という運動を立ち上げ、世界中で数百万人規模の同時デモも催されるなど社会現象となった。

２０２０年末に英国グラスゴーで開催予定だった気候変動枠組条約締約国会議は、来年への延期が決まったが、その際にパトリシア・エスピノーサ国連気候変動枠組み条約事務局長は「新型コロナウイルスは今日の人類が直面している最も緊急の脅威だが、気候変動問題は人類が長期的に直面している最大の脅威であることを忘れてはならない」と述べた。

昨年、気候変動の主要因である大気中の二酸化炭素（CO_2）濃度が、過去最高値の４１５ｐｐｍを記録した（ハワイ・マウナロア観測所）。世界気候機関（ＷＭＯ）は、温室効果ガスの影響で過去5年間の世界の平均気温は観測史上最も暑く、昨年は史上2番めの暑さと報告した。日本でも首都圏を直撃した大型台風被害などが続いたことから、気候変動に影響を実感する市民が8割を超えている。

欧州委員会は２０２０年4月15日に発表したコロナ危機からの出口戦略を定めた工程表の中で、復興に向けた経済政策にはコロナ危機で得た「あらゆる教訓」を生かし、かつ「グリーンな移行」の実現を可能ならしめるものにすると書き込んだ。こうした方針は3月下旬にテレビ会議を開いたＥＵ加盟国首脳の間でも共有されている。欧州グリーンディールは、「コロナ後」のＥＵ経済の再建という新たな役割を担った。欧州では流行初期の段階でいち早く外出規制などの強い対応に踏み切った国や、地域では感染をピークに抑えるまでの時間が短く、経済活動の緩和に向けた動きも早い傾向にある。米国のマサチューセッツ工科大学などのグループが１９１８年のスペイン風邪における米国内の規制状況を分析したところ、当局がより早く踏み込んで市民生活に介入した都市では、結果的に経済への影響も和らげていた。すなわち目前の経済への打撃を恐れて対応を遅らせることは、結果的に多くの命を危険にさらし、経済的な損失も大きくなる。気候変動問題でも、早い対策を怠るほど将来の損失が膨らむことを示す研究はこれまでも多く報告されている。「コロナ後」は脱炭素社会への転換を誘導する視点がいっそう重要になってくる」。

第５章　野党と市民の共闘とコロナ（世田谷モデル）

１．野党と市民の共闘

２０１９年に出した『戦争裁判と平和憲法』の本で、野党と市民の共闘について私の世田谷の体験を紹介しました。

（１）自民党は、公明党と小選挙区制度で３割の票で７割の議員数が獲得できる選挙制度に助けられています。でも市民と野党との連合共闘が本気で進んで行けば、政権連合構想も進んでいき、政治が新しく変わることの展望がつかめるようになり、今の自公政権は完全に崩れます。小池新党のときも枝野立憲民主党発足のときも、先日の衆議員補選のときも、その兆候を示しました。先の参議院選挙でも全国の11選挙区で野党連合が勝利した事実も、市民と野党で私の言うこの日本型の現代的ナチズム状況を切り開いていく大きな展望と希望を示したのです。

最近のオール沖縄の県知事選しかり他の沖縄市議選、国民投票での大勝利もそうです。理性的な運動は遅く、情緒的な感情的な運動は早いと言われていますが、まさしく私たちは理性に基づいた従来からの地道な運動行動の蓄積によって、一強多弱の独裁から、民主主義政治へと変え、人間の尊厳を守り幸せと生きがいを取り戻せるのです。一人ひとりの要求に根ざして、地道に確実に憲法上の権利を獲得していく民主主義と平和憲法を実現していく運動こそが、このような日本型のナチズム、ファシズムの危険な状況を確実に阻止できる道なのです。みんなで、知恵を出し合って、緩やかに連帯して行って、民主主義として、国民の要求を基本とした政策を土台にして草の根運動を広げていかなければならない時期にきているのです。

私たちはこの間、世田谷で、保坂展人区政２選の時、自民公明に10万票の差で再選させ、３選のとき自民に７万票の差をつけ議会の自公過半数をわらせました。前回の衆議院選挙で、小池、希望の野党分断の攻撃に抗して、４、５、６区で市民と野党の共闘で、３人の立憲民主党議員を誕生させ、今この３人は立憲民主党執行部で頑張っています。これを支え実現させている我々の地域市民連合では、これら野党議員、区長にも来てもらって、政治報告会を開いて協議会方式で、市民の政治要求実現に安倍政権打倒に向かって頑張っています。経済政策など市民と政治家との共同作業で、国会で勉強会など開いてこの危険な政権を倒そうとしています。

市民連合のメンバーは、多くの人々が反原発、反安保法制など、３・11の東日本大震災福島で原発事故が起きた後、反原発の行動に参加した人、安保法制の強権的な国会審議の中で、戦争法と認識して反対運動に参加した人たちなど、今まで政治運動にも参加したことがなかった素朴な市民の人たちが多く参加しています。私みたいな無党派の人たちが多く参加してきています。この地域市民連合と言われるこの組織は、最初は、私の同期の宇都宮健児弁護士の都知事選で、世田谷地域の勝手連として集まり、活躍し、そこを出発としてきました。そのメンバーが次に5年半前と1年半前の保坂展人世田谷区長選での選挙活動を経験し、その後の鳥越都知事選を経験し、一昨年の衆議院選挙でまさしく地域市民連合を名乗って、立憲野党と政策協定を結び、小池知事に分断された危機を乗り越え、激しい衆議院選挙を闘い、先程の素晴らしい３人の立憲民主の当選を獲得しました。

各選挙では、街頭演説や電話かけ、ポスティング、集会等の種々の選挙運動をリーダーとして活動しています。選挙のないときも、地域での国政でのあらゆる政治的課題を、市民運動の先頭に立って、各種の集会、デモ行進、陳情や請願活動、署名運動、国、都、区の政治課題を市民運動組織として立ち上げたりしています。当然改憲運動では、私の知っている伊藤真、梓澤和幸、清水雅彦氏憲法の専門家を呼んで学習会を、それに基づいて３０００万署名に取り組んでいます。改憲を阻止し、市民連合政権樹立のためにも、率先して消費税減税など経済問題を取り上げ、立憲野党に働きかけ市民と一緒の国会議員会館を借りて勉強会をして、連合政権構想への道となるよう働きかけをしています。またこの地域市民連合を東京全体に広げるため「繋ぐ会」を作って広げています。これが都知事選など市民選対として機能し始めています。

（2）また世田谷には多くの教育関係の団体が以前から存在し、保坂区長と作ったチャイルドライン、「憩の家」の広岡氏と作った児童虐待防止センター、梅ヶ丘の遊び場プレイパーク、いじめ問題から始まった子どもの命のネットワークなどの教育団体に私も参加活動してきました。それもあり、２０１８年秋、市民連合や他のあらゆる団体と、この教育団体が中心で、加計学園ではっきりと安倍首相が関与したことを国会で述べた元文部事務次官の前川喜平氏を呼んでの教育講演会を、幅広い実行委員会を作って、たった１ヶ月で１２００人参加のイベントを成功させたりしました。

これ以外でも、私が共同代表をしている戦争させない世田谷１０００人委員会、労働戦線統一の世田谷労組が作っている新しいせたがやをすすめる会、また戦争させない、９条を壊すな世田谷総がかり行動の組織もあり、デモ、署名など一斉に行い、世田谷は、最近では政治運動、市民運動のたまり場となっています。その中心を担いつつある、地域市民連合は、組織性もなく各人参加自由原則で、サボってもよく、主体的に自分の考えを自由に活発発言議論するもよく、全く緩やかな無党派的な組織です。地域のこれらの活動で多くの人が、立憲野党の国会議員、地方議員の政治家と結びついて、市民も政治家も変わってきています。多くの活動家も生まれてきています。この会のネットメールなどで多くの多様的な考え方が開示され、市民運動の行事が案内され、時には署名運動も拡散されて、その中で一人ひとりの自由な参加が保障され、多様的な運動が、改憲阻止の活動が拡がっています。勿論若者参加が少ないとか色々な悩み欠点もありますが、このような多くの市民運動の網の目の組織が各地に広がって行けば、今行われている安倍改憲阻止の３０００万人署名などが広がって行くことにもなり、戦争に向かう安倍政権に立ち向かって、憲法改悪戦争反対の声を強め、多くの経済社会保障政策要求も掲げ、立憲野党議員と一緒に、大きな一致点での連合政権構想が実現していくようにして行かなければならないのです。」

2．東京世田谷区での取り組み

(1) まずコロナ禍初期にコロナ対策として「あたらしいせたがやをすすめる会」が「世田谷区長　保坂展人様」に出した要望書です。

〔平素、区民の健康・福祉の増進とその環境整備に向けた区政を進めておられることに心から敬意と感謝を申し上げます。この間の新型コロナウイルス感染症拡大によって、区民の中に広がる命と健康、くらしと生業に対する不安と負担を可能な限り払拭・軽減することが、区には強く求められています。区においては、新型コロナウイルス感染症対策に関わり、1月22日からホームページ等による情報発信を始め、1月27日に「健康危機管理対策本部」（その後「新型コロナウイルス感染症対策本部」と改称）を立ちあげ、全庁で対応する体制をつくられたと聞き及んでおります。その後も感染拡大の実情やこれに対する国や東京都の動向も踏まえつつ、区として区民の懸念や期待に応える施策と情報発信を行ってこられたことと承知しております。

この間の無症状を含めた急速な感染拡大を受け、その終息に向けて引き続き、区において万全の対応を図ることが求められていると考えます。つきましては、下記のような取り組みを強められることを要請致します。

〈基本的事項〉

1．区の「新型コロナウイルス感染症対策本部」の議論状況を可能な限り公開し、決定事項は速やかに区民へ周知されたい。

2．国の「緊急事態宣言」並びに東京都の「緊急事態措置」に伴う「自粛」、「休業要請」等に由来する「収入減」や「損失」等、くらしや生業の困難に対する区としての「支援金」や「融資」など支援の方策に万全を期すよう図られたい。そのために、予算の大胆な補正を含む必要な財政措置を図られたい。併せて、社会福祉協議会等区が出資その他財政的支出等を行う法人等が行う各種の生活支援等の事業についても、その円滑で効果のある執行を進めるよう取り計らわれたい。

3．新型コロナウイルス感染拡大によって加速されている区民生活の困窮度の深まりのもと、現在の生活保護制度を活用した生活、医療支援等の施策の拡充と、実態に即した柔軟な対応をよりいっそう強められたい。

4．感染拡大防止と生業の支援を共に実効性あるものとするため、休業「自粛」と損失「補償」を一体のものとして実現する道筋の構築に向けて、区として、国や東京都に対する働きかけを強められたい。

〈医療体制確保に向けた緊急事項〉

1．何よりも感染の連鎖・拡大による「医療崩壊」を防ぎ、区民のいのちと健康を守るため、92万都市に相応しい区独自のPCR検査の早急、実効性ある体制確立を含む必要な施策を促進されたい。

2．公衆衛生体制を強化するため、区の保健所を嘗てのように区民の身近な地域ごとに設置することも視野に、機能と体制の拡充を早急に図られたい。

3．検査・隔離を円滑にし、医療、介護、保育等の施設における感染者集団（クラスター）を生み出さないために、区内の医療機関、医師会や福祉施設等、また、国、東京都との連携・情報共有の強化を図られたい。

4．区民の命と健康を守る行政的・専門的医療を行ってきた都立病院の機能と役割、患者負担に大きな懸念を生じさせる都立松沢病院の独立行政法人化は見直し、むしろそのいっそうの充実を図るよう東京都に強く働きかけられたい。」

以上は、区民の要求を踏まえた鋭い素晴らしい要請書でした。

（２）保坂区長の原稿

これらに基づいて、住民要求を踏まえた、保坂区長の、その後に進められてきた、区長の権限は限られていますが、できるだけの、世田谷区のコロナ対策を、区長支援の機関紙で「保坂展人—コロナ禍を超えて私たちはどんな社会を選ぶのか」の原稿を紹介します。

〔４月７日、安倍晋三首相が「緊急事態宣言」を出した日の記者会見を始めた頃に、私たちは「世田谷区医療関係者情報連絡会」の第１回会合を開催しました。この頃、区内で感染者が激増し、コロナ治療にあたる各病院も病床が逼迫し、患者増加の量的拡大ぎりぎりのところでもちこたえているとの現場の声も届いていました。こうした緊迫した日々が続いていたことから、区内のコロナ治療に取り組む病院長や世田谷医師会・玉川医師会にも緊急に集まっていただいて、まずは情報交換をということになったのです。

一方で、世田谷区医師会からは、次のような提案がなされました。「私たち医師会も、今回の新型コロナウイルス感染症の拡大に対して、何かできることがないかと話し合っています。もし、『ＰＣＲ検査センター』が出来るのであれば、保健所の協力を得て運営することも検討しています」と。医師会の開業医の方々が輪番で担当することも検討していると発言があり、玉川医師会からは「今、ＰＣＲセンター検査をしているのは、氷山の一角ではないか。ドライブスルー方式でＰＣＲ検査が実施できないか」という提案が出てきました。実は各病院でも「発熱外来テント」等を運営するなどして、ＰＣＲ検査の一角を担ってくれていました。保健所の抱える行政検査の一翼も担ってくれていたのです。ところが、相談件数が上昇して検査依頼数も増えてきたことから、処理能力の限界に近づいていたのです。一方で医師会には「地域医療の担い手として座視できない」という強い意思が表明されました。こうして、一同に会したことで、互いの存在が見え、すみやかな協力体制を構築する大きな転換点となりました。４月８日までの週で、世田谷区内の検査陽性者は１１１人となり、前の週の60人から倍増しています。翌週４月15日までの週は２１５人とやはり倍増、私も含めてアメリカ・ニューヨーク州のような感染爆発にむけて一気になだれ込むのではないかという恐怖が多くの人をとらえていました。この急増期に保健所単独ではなく、区役所全体で支える体制をつくり、また医療関係者相互のネットワークが出来たことは、大きな役割を果たしました。会議の翌日、4月8日には「PCRセンター検査センター」が世田谷保健所によって開設されました。さっそく、世田谷区医師会が協定を締結して、5月1日からは「地域外来・検査センター」として、保険診療を使い民間検査機関に検体を出して、スピーディーに検査結果を得ることができるようになりました。

▼「東大先端研・児玉名誉教授と出会う」　私は駒場にある東大先端科学技術研究センターに児玉龍彦名誉教授を訪ねました。世田谷区にお住まいの児玉先生は、感染者が増加している状況を心配され、集団感染が起きると拡大する高齢者施設や病院内感染の防止を専門家の協力を得てブロックするべきで、そのためにPCR検査と抗体検査を効率よく組み合わせて使うべきというアドバイスをいただきました。

振り返れば、3月、4月、5月と「新型コロナウイルス」と、ほぼすべての時間を費やして向き合ってきました。当初、世田谷区でも電話が立て込んでなかなかつながらず、PCR検査にたどりつくのが大変な時期がありました。先に紹介した4月7日の医療関係者との会議を契機にして、4月下旬には相談を受けたその日にPCR検査につなげることも出来るようになりました。「地域外来・検査センター」（PCR検査センター）では4月8日以降、5月末までに1800件、医療機関での検査数を合わせると3300件の検査をしてきました。迅速な検査と、診断による早期治療の体制を維持して、今後の感染の拡大にそなえていきたいと考えていきます。

▼「雇用と生活の危機」と「学校教育の長期休養」　主に、医療関係のことを中心に書いてきましたが、「コロナ危機」の周辺では3月以降の仕事がほとんど止まってしまった業界も多く、「500万円」を上限とする利子・信用保証料を区が負担する緊急融資は「ぷらっとホーム世田谷」（社会福祉協議会）が窓口となっています。「緊急小口（特例貸付）」「住居確保給付金」には、それぞれ数千人の申込みが続きました。リーマンショックの規模を短期間で超える勢いです。これから、長期にわたって失業・廃業などをへて生活危機が迫っている方々が多くなってくることが予測できます。

もっとも早い段階で「全国一斉休業」に入ったのが、小中学校です。3月、4月、5月と3ヶ月にわたって、子どもたちが学校を離れて家庭で過ごすことに多くの声が寄せられました。「ネット配信」の授業の準備、「機器を持たない子どもたちへのタブレット端末の配布」等を経てようやく学校教育の準備が整ってきたのが、連休明けになりました。今回の事態は「明治以来の教育はどう変わるのか」という問題も突きつけています。」

そしてとうとう区長は、早期発見早期治療を掲げて、ニューヨークに学び、いつでも、だれでも、何回でも、行える、画期的な世田谷モデルを導入することを記者会見などで発表しました。

3．世田谷モデルのことを伝えた東京新聞8月3日の記事

〔新型コロナウイルスの感染防止策として、東京都世田谷区は1日に2千～3千件をＰＣＲ検査できる体制整備の検討を始めた。「誰でも　いつでも　何度でも」検査できる「世田谷モデル」として早期発見や治療につなげ、感染の広がりを抑える狙いだ。

世田谷保健所や区医師会運営の検査センターなどで1日当たり約３００件の検査能力がある。近日中に約５００件に増やし、その後2千～3千件まで強化する。実現に向け、一度に１００件単位の検査を自動でできる機器を導入する。これまで1人分を1検体として検査していたが、例えば5人分をまとめて試験管に入れる「プール方式」を採用。陽性反応があれば、あらためて1人ずつの検体を調べる。反応がなければ5人分が一度に陰性と判断でき、検査効率が高まる。

新たな機器の導入で、検体を専門機関に持ち込む必要がなくなり、現在は翌日でないと判明しない検査結果も、午前中の検査なら当日にわかるようになる。原則、区民を対象とし、区内で医療や介護、保育関係者ら社会機能の維持に必要な分野で働く人たちも、定期的に検査することを想定。制度全体の詳細を詰めるため、医師会の関係者や学識経験者を交えたワーキングチームを作り、今月中にも諸会合を開く。検査費用の区民の負担について、保坂展人区長は「公共的意義があるので本人負担というわけにはいかない」と説明する。保坂区長は「最大の経済対策は誰でも、いつでも、何度でもＰＣＲ検査検査をできる体制づくりだ。問題提起しながら走り出していく」と話した。〕

それに基づいて私たち地域市民連合「めぐせた」の市民の方々は、多くの関連資料を集めて、各人が自分で考えて、何回かズーム会議を開いて議論して、次の通りの区長あての要請書を送りました。まさしく「世田谷方式」といえるいわゆるコロナ地域市民運動の先進的な運動の典型を示しています。憲法13条24条の生命権生存権を掲げた憲法8章の地方自治運動でもあります。各地でも広がることを念じて少し長文になりますが紹介します。

〔コロナの感染が第2波を迎えたともいえる中で、保健所や関連部署の方々を鼓舞しながら区政の先頭に立って、日夜奮闘されておられることに敬意を表します。

7月27日のBS－TBSの番組1930、その後のテレ朝羽鳥モーニングショーやサンデーLIVEなどにリモート出演されたことで、「世田谷モデル」は全国に広がっています。市民運動に関わっている私たちは励まされています。区長の勇気ある行動に心から敬意を表します。

一方、安倍政権や小池都政は、感染拡大の実態を科学的に把握し、それに基づいた施策を打とうとはしていません。国民に対しては、警告や補償なしの自粛要請ばかりで、専門家の議論も公開せず、都合の良いところだけ切り取り、指標をなしくずしに変え、場当たりでちぐはぐな「政治判断」をしています。国会も閉じたままで、開かれたリスク・コミュニケーションが欠如しており、それが多くの国民の不安につながっています。

今後は、この「世田谷モデル」を、医師会、医療機関、保健所等と連携し、区議会の理解を得て着実に実行に移していくスピード感が求められます。いま着手すべき施策は、感染実態の把握、無症状者の早期発見・早期療養のための検査の拡大です。感染の広がる恐れがある地域と職種、とりわけ医療、介護者・障害者施設、保育所、学校などで集団検査を実施することです。

第2波が第1波以上に感染の広がりが心配される中で、世田谷区においても毎年襲ってくるインフルエンザ、風水害との「複合災害」が懸念されます。保健所機能の拡充はいうまでもなく、検査所機能の拡充、隔離・療養施設の確保などは必須です。これらの充実を図るとともに、区民の不安解消のためよりいっそうの情報開示が求められます。

世田谷区医師会のアンケート調査によれば、今後、事態が改善されなければ、医業経営が困難に陥ることが予想され、3～6ヶ月後には62％の施設が縮小や休診に追い込まれる恐れがあります。

「世田谷モデル」を進めるうえで、大きな問題は「財源」です。区の独自財源の捻出を行い、国からの財政的支援を確保していくことが緊急に求められます。

しかしながらその後、国の協力が得られず、毎日新聞10月22日の記事には「いつでも、どこでも、何度でものPCR検査苦戦」とあり、次のように書かれています。

（保坂氏はすぐにメディアを通じて検査拡充の意義を盛んに発信した。発言が全区民を検査すると受け取られることもあったが、「いつでも――」を目指し段階的に検査体制を広げていくという趣旨だったという。

区は8月24日、区内の高齢者施設などの職員ら約2万3000人に対するPCR検査費用約4億円を盛り込んだ補正予算案を発表。プール方式で１日あたり１０００件程度の検査を想定していた。しかし、厚生労働省は9月11日、区の照会に対し、プール方式は「科学的知見が確立されていない」として国費を充てる「行蚤検査」の対象と認めず、区は従来型のＰＣＲで検査することにした。

厚労省によると、プール方式のＰＣＲ検査は現在検証中で、有効性が確認された上で国が認めないと行政検査の対象にならない。同省担当者は「検査の精度や、多くの感染者が見込まれる集団だと結局、もう一度検査する『二度手間』の問題があり、どの局面での活用が効果的か不明」と話す。

保坂氏は補正予算案が可決された9月末、プール方式は断念していないものの、「国の検討を待つ」との考えを示した。介護施設職員らを対象にしたＰＣＲ検査は10月から始まったが、終了まで約４カ月かかる見通し。区の担当者によると、検査可能件数を大きく増やせないため、今後感染者が増加した場合は症状がある人の検査を優先し、施設職員らの検査を休止する可能性もある。現時点では保坂氏が思い描いた検査は実現できておらず、独自のコロナ対策の難しさに直面している。

一方、取り組みについて他の自治体から問い合わせが来ているといい、注目が集まっている。保坂氏は「国の動きは遅いと感じる。当初の予定から縮んだという印象はあるかもしれないが、千里の道も一歩からだと話した。」

第6章　コロナ後の世界

今「ポストコロナ」について、多くのところで語り始められています。私が大局的に見て、現在と未来を的確に見つめ語った良いと思われた記事の一部を紹介します。

（1）東京新聞5月2日の「無極の時代を生きる」の記事です

〔今回のグローバルな危機に当たっても、米国は先頭に立って人類の試練に立ち向かう姿勢を見せてほしかった。ところがトランプ大統領は世界保険機関（ＷＨＯ）や中国を攻撃するのに躍起になっています。米国が世界最多の感染者を出しているのは、検査態勢につまずき感染状況の把握が遅れたことが大きく響いています。トランプ氏の外敵たたきは、初動の不手際から国民の目をそらすためではないか、と勘繰りたくなります。ではトランプ氏に代わってリーダーシップを発揮している指導者はいるかというと見当たらない。そうした意欲がある人もいますが力量不足です。

米国による一極支配の時代のたそがれに登場したトランプ氏。「米国第一主義」は、米国さえよければいいという開き直りです。米国に取って代わって覇権を握る野心をぎらつかせているのが、習近平国家主席率いる中国です。ですが、世界がリーダーと認めるまでの信用を得ていません。南シナ海での強引な海洋進出と国際司法の判断を無視した振る舞いは、中国への信頼を損ねました。強力な手法によるコロナ禍封じ込めは成果を上げましたが、いっぽうで共産党の強権的な統治は各国の懸念と反感を呼んでいます。「パクス・アメリカーナ（米国による平和）」は幕を閉じ、それに代わる秩序の担い手がいない。コロナ禍はグローバル経済を後退させました。国境を越えたサプライチェーン（流通網）が寸断されたのはもちろん、都市封鎖や外出制限によって経済活動そのものが極度に縮小。感染拡大を恐れる各国は国境を閉ざし、人とモノの往来は激減しています。

各国とも感染症との闘いと同時に、失業者や企業救済のために巨額の財政出動を行い、危機乗り切りを図ろうとしています。トランプ大統領の誕生と英国の欧州連合（ＥＵ）離脱は、経済のグローバル化に取り残された人々の既成秩序への逆襲でした。米英ではグローバル経済によって貧富の差が拡大し、主に労働者階層が犠牲になりました。国家回帰の動きが、グローバル経済の行き過ぎを調整することにつながれば結構なことです。ですが、各国が自国第一主義に走ってエゴをむき出しにすれば、危険です。コロナ禍の副作用として、多くの国で排他的なナショナリズムが高まっているだけに心配が募ります。さて、あてにできなくなった米国と野心満々の中国の狭間にあるのが日本です。主体性とバランス感覚が一層問われます。日本は孤立しては生きていけません。国際協調の精神を忘れてはなりません。選択肢を増やして外交の可能性を広げていくべきです。中国をはじめ体制の異なる国とも協力できるところは手を握る。不安定な時代を生き抜くには、しなやかさがより必要とされるでしょう。

（2）朝日新聞5月22日の社説「コロナ後の世界〜世界協調こそ乗り切る道」

「コロナ・パンデミックは世界秩序を恒久的に変えるだろう」キッシンジャー元米国務総長官は米紙への寄稿で、世界史的な意味を持つ変化が起きると予測した。より良い方向に変わるならいいが、対立や緊張が高まる危険性もある。今こそ協調体制を維持するために国際社会全体で議論を深める必要がある。コロナ禍はどんな意味を持つのか。経済のグローバル化の行方が焦点だ。世界的な相互依存関係が深まり、人やモノの世界的往来が飛躍的に拡大する中で起きたからだ。「世界の工場」の中国から世界に感染が急速に広がったのはグローバル化の帰結だ。「自国優先主義」を掲げる米国のトランプ政権の誕生や英国の欧州連合（ＥＵ）離脱など、グローバル化への反動はすでに起きていた。コロナ禍がその流れを加速させる可能性もある。

戦後の国際社会を主導してきた米国の影響力が弱まり、「リーダー不在」が指摘される中で世界的な危機が生まれたことも大きい。米国は世界最多の感染者、死者を出す一方で、世界保険機関（ＷＨＯ）への資金拠出を一時停止した。自らリーダー役を放棄したともいえる。コロナ禍の前から悪化していた米中関係の行方も懸念される。トランプ政権は責任回避の思惑もあり、中国が感染拡大の初期に情報を隠蔽したなどと批判を強めている。米国民の中国に対するイメージも悪化した。一足先に感染拡大を抑えた中国が、世界的な影響力をますことへの警戒感も強い。対立がさらに深刻化すれば「新冷戦」を生むリスクがある。

中国も問題を抱える。世界経済全体の回復がないまま、単独で経済を浮揚させることは容易ではない。情報伝達を遅らせる隠蔽体質など強権体制の問題点が明らかになり、国内にも習近平体制への批判がくすぶる。広域経済圏構想「一帯一路」に沿った医療援助を進め、東シナ海、南シナ海での活動を続けるなど、独り勝ちを狙うような動きをみせていることには世界的な批判も高まっている。米中の対立が続けば、国際社会が足並みをそろえて途上国への支援を進めることが困難になる。途上国で感染拡大が続けば、世界全体での収束にはつながらない。米ハーバード大のナイ教授は、途上国からの第二波、第三波の流行の可能性を考え、米中は自国の利益のために人道的な意味でも協力する必要があると提唱する。

コロナ禍は民主主義にも難題つきつけた。感染拡大防止には個人の人権を制限することも必要になるからだ。民主主義が脆弱な東欧では、今回の危機を口実に政権が権力強化を図る動きもある。一方、強権的指導者の多くがコロナ対策に苦戦する中、台湾やドイツ、ニュージーランドなどの女性リーダーが評価されている。女性が評価される成熟した社会がうまく機能したとすれば、将来を考えるヒントになりうるだろう。多くの国が国内対策で巨額の財政支出を迫られ、経済回復も容易ではない。長期化も予想されるコロナとの闘いを収束させ、世界を繁栄の起動に戻すには国際協調で乗り切る以外の道は考えにくい。自由貿易体制や地域の安定の下で繁栄を享受してきた日本にとって選択の幅は広くはない。中国に自制を求め、米国とも意思疎通を重ねながら、国際協調体制の再構築を目指すのが日本の役割ではないか。共通の利益を持つ欧州やアジア諸国とも協力できるはずだ。〕

（3）毎日新聞5月21日の『コロナと世界　共生を見据えた協調を』の記事

〔世界が同時に混迷期に入った今、国際機関の重要さは増すばかりだ。大戦後の協調を進めてきた枠組みを逆に損ねるならば『コロナ後』の国際社会に深い禍根を残すだろう。ジュネーブであった世界保健機関（WHO）の年次総会は、残念ながら、協調よりも対立を強く印象づける結果になった。2大国である米国と中国の諍いが止まらないからだ。

WHOを『中国の操り人形』と呼ぶトランプ大統領は、ついに脱退の可能性まで示唆した。中国での感染発生時の初動を誤ったと非難するが、実際は自らの米国での対応の失敗を隠したい思惑が見て取れる。中国は対象的にWHOへの追加出資を約束しつつ、米国の不当さを訴える。だが、各国が望むような情報開示に後ろ向きだったのは事実だ。総会で決議された初動対応の外部検証に全面的に協力しなければ、中国も責任逃れのそしりを免れまい。

米中とも古い大国意識から脱せず、感染症対策には勝者も敗者もない現実を見失っているようだ。WHOを弱体化すれば混乱は広がり、米国の威信低下は避けられない。中国にも、米国の役割を肩代わりできるほどの指導力も信頼もない。両国の覇権争いがコロナ渦を機に悪化した例としては、国連安全保障理事会も同じだ。世界の紛争当事者に対し国連事務総長が『コロナ停戦』を求めて2ヶ月近くになる。だが、安保理はそのための停戦決議を今も採択できていない。WHOを想起させる文言に米国が反対しているため、とされる。

新型コロナは人類共通の脅威だ。その渦中に、世界の平和と安全に主要な責任を持つはずの安保理が存在感すら示さないようでは、今後の『無極化』の世界を案じざるを得ない。

防疫のために各国が国境を閉じて往来を制限する間、グローバル化の流れはブレーキがかかる。財政難ものしかかる今後、各国の政治潮流がますます内向きのポピュリズムに陥る恐れは否定できないだろう。しかし、コロナ以降を国際協調主義の冬の時代にしてはならない。その意味で、ドイツとフランスが今週、欧州の復興を目指す多額の基金創設で合意したことは評価したい。欧州連合の加盟国の中にはなお異論もあるようだが、少なくとも統合の理念を再確認する意義はある。日本も主要国として重責を抱えている。米中間の橋渡し役を果たす道を探るとともに、欧州や各国と連携して、保健衛生や貧困、環境など、地球規模の課題解決へ向け、多国間協力を強める外交を目指すべきだ。」

(4) アメリカの財閥がコロナ禍を克服する本物の道を探る

朝日新聞6月5日の、富豪が憂える資本主義　起業家ベンチャーキャピタリスト　ニック・ハノーアー「米覆う新自由主義格差生むウイルスコロナで惨状露呈」の記事を紹介します。

〔世界を襲った新型コロナウイルスは、それぞれの社会が抱えている病理を暴き出した。米国のそれは、絶望的なまでの経済格差だ。「今とは違う資本主義」への渇望は、「勝ち組」のはずの超富裕層にも確実に広がっている。米シアトル在住の起業家、ニック・ハノーアーさんがコロナ後の資本主義の形について次のように提言している。「米国は新型コロナの感染者数、死者数ともに世界最悪となり、経済の落ち込みも深刻です。持病のある人ほど重症化しやすいのと同様、元から病巣を抱えた社会ほど打撃が大きいのです。

米国には、コロナとは別の『ウイルス』がはびこっていました」。その別のウイルスとは「約40年かけて深まった新自由主義です。税金を減らし、賃金を低く抑え、企業への規制を緩める。富裕層が富めば、いずれ庶民にしたたり落ちる。そんなトリプルダウンの考え方が政治や経済を支配していました。政府の役割が軽んじられた結果、格差という病巣が広がり、社会のあらゆる側面がウイルス危機に無防備になっていました。政府が最も必要とされているいま、『政府は常に有害だ』と主張し続けてきた新自由主義者たちが政府を牛耳っている。その帰結が目の前の惨状です」

——6年前、あなたは講演で「自分たちのような富豪は熊手を持った民衆に襲われる日が来るだろう」と予言しましたね。

「極端な格差は社会を壊し、いずれは富裕層の暮らしすら維持できなくなります。フランス革命のように人々の蜂起が起きました。銃を手にした人々が州庁舎前などに集まり、経済再開を叫んだのです。『こうした動きが欧州に比べて米国で目立つのは、乏しく備えもない層の大半が、わずか数週間で生活の糧を得る手段を失ったためです。」

——米政権と議会は3兆（約320兆円）もの経済対策を打ち出しました。もはや新自由主義を捨てたようにも見えますが。

「トランプ政権が改心したとは認めません。政権は困窮する移民家族を給付金の対象から外す一方、もっとも豊かな人々や大企業に、できるだけ多くのお金が流れるように画策してきました。そして、大企業は手元の現金がなくなったらと政府に駆け込み、救済を求めました。何兆ドルもの自社株買いによって株価を上げ、株主を富ませ続けてきた大企業にそんな資格があるのでしょうか」

——コロナ禍のもと、米ウォルマートなど一部の勝ち組企業はますます支配力を強めています。「新自由主義が力を得た1970年代後半から、独占を防ぐ規制や規範が骨抜きにされました。以前はどの地方都市にも地場のスーパーや百貨店がありましたが、最近は大型チェーンばかり。大企業なら高待遇が期待できるはずなのに、現実は労働条件が搾取的です。利益は大都市が吸い上げ、地方は廃れました。手を打たなければ、その傾向が強まりかねません」

——どんな手がありますか。

「累進課税ならぬ『累進規制』です。大企業ほど高い最低賃金や厳しい労働規制を課します。地方都市が恩恵を受けますし、規模の小さい企業が有利になり、独占を食い止める効果もあります。シアトルの最低賃金は最初、大企業とその他で差をつけました。中小企業の敵は労働組合でも、規制でもない。大企業なのです。

——約4千万人が失職し、米国は大恐慌に迫る雇用危機です。「危機に乗じて賃金切り下げや一段の減税を狙う危険な動きも出ています。進歩派は、この危機を従来とは全く別の物語を紡ぐ機会とすべきです。想像を超えた雇用崩壊は、需要が干上がったことで起きました。今回、資本主義経済で本当に雇用を生み出しているのは、1％の金持ちでもCEO（最高経営責任者）でもなく、99％の普通の米国人だったことが明白になりました。そこに向けた政策を練らなければなりません。

――米大統領選は５ヶ月後です。あなたは民主党に「中道政党たれ」と呼びかけていますね。「共和党よりわずかにマシなだけで、民主党も新自由主義のウイルスに侵されてきました。私の言う『中道』は、共和党寄りの民主党員のことではありません。経済を支える99％の人々の利益を代弁する立場です。今より大きく『左』に寄らなければ中道ではない。候補者選びから撤退したサンダース上院議員は極左扱いでしたが、『中道』と言えます。高い最低賃金も、国民皆保険も、富裕税も、資本主義の枠内で当たり前の賢明な対策であり、大多数の有権者が望んでいるのです」

――日本はこれまで米国などをモデルに金融・資本市場改革を進めてきました。間違いでしたか。「賃金減や環境規制の緩和につながる改革なら誤りです。しかし、起業家がリスクをとり、必要な資本にアクセスし、存分に競争できる改革ならば進めるべきでしょう。資本主義の良さをより発揮できる方へと向かうべきです。」

（５）日本の資本主義の限界

毎日新聞５月18日の「疫病と人間」に寄稿した水野和夫氏（法政大学教授）の記事です。

〔21世紀にたどり着いたのは、絶望するほどの二極化した世界だ。２０２０年のオックスファムリポートによれば、世界の10億ドル長者２１５３人分の富は、46億人（世界の下位６割）の会計より多い。金額にして２１５３人の一人あたり平均保有額は４４００億円で、下位６割のそれはわずか14万円弱に過ぎない。上位１％（７６００万人）まで金持ちの範囲を広げると、下位９割（69億人）をあわせた富の２倍以上を保有している。

内部留保４６３兆円。日本の富は21世紀以降、企業に集中するようになった。企業の内部留保は19年３月末時点で４６３兆円に達している。企業が内部留保を重要視するようになったのは、１９９０年代後半の金融危機や08年のリーマン・ショックで資金繰りに窮したからである。企業経営者はまさかの時に備えて増やすのだと説明していた。現在の危機はそれらを上回るのであって、今が『まさかの時』にほかならない。内部留保が企業の固定資産に比べて急増し始めたのは、未曽有の金融危機に陥った98年の翌年からである。90年代は固定資産に対して内部留保は低下したので、89年までの上昇傾向を現在まで延長すると、内部留保は２００兆円となる。企業が緊急事態に備えた内部留保２６３兆円は、将来の生産力増とならないので、生活水準の向上につながらない。

▼「資本家の本質あらわ」　『主権者とは非常事態についての決断者である』（カール・シュミット）。日本の緊急事態宣言は飲食業などに休業を要請するが、補償はしない。その代わり罰則規定を設けていない。だからといって、この緊急事態に国民に布マスク2枚や10万円を支給することが『主権者』の決断ではあるまい。『主権者』である安倍晋三首相が決断すべきは、中西弘明経団連会長に対して、首相の職を賭して132兆円の減資を要請することだ。経団連会長が拒否する理由はない。本来従業員と預金者に支払うべき資金と利息を不当に値切った金額が累計で132兆円であり、緊急事態に即変換すべき性格のものであるからである。不当だというのは、労働生産性の上昇にも関わらず賃金を減少させたり、利子と利潤の源泉は同じであるにも関わらず、企業利益率（ROE）に比例させて利子を支払わなかったりして、『救済』の経済理論に違反しているからである。緊急事態に備えた（SAVE）263兆円のうち132兆円は個々の企業と当該企業の従業員を結びつける必要はない。日本人全員の危機なのだから『日本株式会社』として前就業者と全預金者を含めた1億2596万人に返還すべきものであるからだ。

休業要請に応じた企業に対しては、263兆円から132兆円を差し引いた131兆円が補償財源となる。不動産賃貸賃料は18年度で27兆円、資本金1億円未満の小売業および宿泊・飲食業の売上高は123兆円であるから、概ね1年の休業に対応できることになる。減資に応じないというのではあれば、マルクスが言うように、地球が太陽に吸い込まれて人類がどうなろうと資本増殖をやめないのが資本家の本質だということになる。

▼「『共生』は経済重視」　263兆円の減資が『出口戦略』であるが、同時に『新たな入り口』も必要だ。それで初めて『不正』を『有用』と偽ってきた20世紀に終止符を打ち、我慢した代償としての成果を享受することができる。ケインズは1930年に『自分自身に対しても、どの人に対しても、公平なものは不正であり、不正なものは公平であると偽らなければならない。なぜならば、不正なものは有用であり、公平なものは有用でないからである』と指摘した。資本は人類の救済のためにあるから、不正な資本蓄積も大目に見てきた。

▼「『より近い』秩序へ」　本来あるべき『新しい生活様式』とは、『より遠く、より早く』そして『もっと多く』を求めず、『より近く、よりゆっくり』する生活様式に改めることである。そうしなければ、いつ感染するかもしれないと、明日を心配して生きていかなければならない。新たな入り口にはケインズの言う次の原則が掲げられていなくてはならない。貪欲は

悪徳であり、高利の強要は不品行であり、紙幣愛は忌み嫌うべきものであり、そして明日のことなど少しも気にかけないような人こそが徳を持った人であるという原則である。

この原則は、資本を過剰に保有するゼロ金利社会でないと実現できない。資本が過剰であるからゼロ金利となる。能力増強の新規設備投資と純輸出が不要となり、労働時間が節約でき、余暇が増える。そこで初めてケインズのいう人間にとって真に恒久的な問題、すなわち『余暇を賢明で快適で裕福な生活のためにどのように使えばよいのか』という問題に取り組むことができる。そして国際秩序も当然変わる。ＥＵ（欧州連合）程度の小さいサイズを単位とした『より近い』単位での地域秩序が形成されていくだろう。日本の近隣外交も問われているのである。」

（６）国連事務総長の素晴らしい声明、他

最後に、この本の最初に、戦前の歴史的岐路のニューデール政策を提唱してた、ルーズベルトを紹介しましたが、このコロナ禍の歴史的岐路に立っている世界の中、コロナ停戦、反核平和、新自由主義批判、社会主義的改革、国際連帯、の人類生き残りの国連政策を先頭に立って進めている、アントニオ・グテーレス国連事務総長の素晴らしいメッセージなどを紹介します。

①朝日新聞７月16日「私の視点×３」の中から、「コロナ危機の打開、多国間の連携死活的に重要」の記事を紹介します。

〔ＣＯＶＩＤ=19（新型コロナウイルス感染症）から気候変動、人種的不公平から拡大する不平等まで、私たちは混乱状態の世界にいる。同時に、今年、国連創設から75周年、国連憲章の永続的なビジョンを持つ国際社会にもいる。平等や相互尊重、国際協調と言った価値観に基づく、より良い未来のビジョンは、破滅的な結末をもたらしたであろう第３次世界大戦の回避に一役買ってきた。私たちの共通課題は、その共有する精神を導き、この試練の瞬間に立ち上がることだ。

パンデミック（世界的大流行）は世界の脆弱性を浮き彫りにした。人々はいたるところで、政治体制や制度への信頼を失っている。世界の指導者は謙虚になり、団結と連携の死活的重要性を認識する必要がある。次に何が起きるかは誰にも予測できないが、二つの起こりうるシナリオがある。第一は、世界がなんとか切り抜ける「楽観的」な可能性だ。今後９ヶ月ほどの間にワクチンが登場し、誰もが利用、入手できる「大衆のワクチン」となる可能性がある。そうなって、経済が斬新的に始動すれば２～３年で、ある種の正常化に向かうかもしれない。

しかしもう一つ、各国が調整に失敗するという暗い可能性もある。感染の新たな波が発生し続け、発展途上国での感染が爆発的に増える。このシナリオでは、分断やポピュリズム、排外主義が加速するのを目の当たりにすることもありえる。中身が予測不可能な新しい日常（ニューノーマル）が現れるまで、少なくとも5年か7年は続く世界的不況という結果におそらくなるだろう。

パンデミックは、今までの想定とやり方を変えなくてはならず、分断が全ての人に危険だということを、全政治指導者が理解するのを促す警鐘にならなくてはいけない。こうした理解が、国際協調を伴う、より強力なグローバル・ガバナンスを通じてのみ、世界の脆弱性に対処できる。人々がそう認識することにもつながるだろう。

私たちは、現在の危機を引き起こした仕組みに、ただ単に戻ることはできない。より持続可能で包摂的、男女平等な社会・経済を再構築する必要がある。そうして、国家協力の方法を最考しなければならない。国連などがより密接かつ効果的に連携する、ネットワーク化された多国間主義などが必要だ。国連憲章の価値に基づき、新たにネットワーク化された包摂的で効果的な多国間主義は、より深刻な危機への歯止めになりうる。世界の政治指導者は、多国間機関に実行力を与えるなどして、私たちの時代の最大の試練を克服するために団結と連携の力を引き出す必要がある。」

②国連のアントニオ・グテーレス事務総長の、南アフリカへのメッセージ「社会の脆弱な骨が折れた」［ロンドン発］のインターネットからの記事を紹介します。

国連のアントニオ・グテーレス事務総長は18日、南アフリカのアパルトヘイト（人種隔離政策）撤廃に尽力したネルソン・マンデラ元大統領の生誕記念日に合わせてオンラインで講演し、次のように述べました。

「新型コロナウイルスは私たちが築いてきた社会の脆弱な骨が折れたことを明らかにするX線に例えられます」「私たちは破壊点にいます。しかし私たちは歴史のどちら側にいるのかを知っています」

世界保健機関（WHO）によると、この日、1日では過去最高の26万人の新規感染者を記録しました。死者は7360人。アメリカ、新興国の南アフリカ、ブラジル、インドで増えているためです。

米ジョンズ・ホプキンズ大学の集計では世界で約1425万人が感染し、死者は60万人を超えています。元ポルトガル首相で社会主義インターナショナル前議長のグテーレス事務総長が今も根強く残る植民地主義と家父長制の打破を呼びかけた講演内容は衝撃的でした。タイトルは「格差のパンデミックと闘う。新しい時代の新しい社会契約」です。「パンデミックは私たちが数十年間にわたって無視してきたリスク、すなわち不十分な医療制度、社会保障の格差、構造化された不平等、環境の劣化、気候危機をもたらしました」「私たちは第二次大戦以来、最も深刻な世界的不況に直面し、１８７０年以来最も広範な所得の崩壊に直面しています。さらに1億人も多くの人が極度の貧困に追い込まれる可能性があります。私たちは歴史的な割合の飢饉を見ることになる恐れがあります」「あらゆる場所は誤謬と虚偽で満たされています。自由市場が全ての人に医療を提供できるというウソ、無給の介護はうまくいかないという虚構、私たちは人種差別が解消された後の世界に住んでいるという妄想、私たち全てが同じ船に乗っているという神話」「私たち全員が同じ海に浮いている間、ある人は漂流物にしがみついているのに、一部の人はスーパーヨットに乗っていることは明らかです」「世界の人口の70％以上が所得と富の格差増大に苦しめられています。世界のお金持ち26人が世界の人口の半分と同じぐらいの富を持っています。女性問題とジョージ・フロイド氏殺人事件後の2つの運動に見られる怒りの感情は現状への幻滅を反映しています」「これらの運動は、私たちの世界における2つの歴史的な不平等の源泉である植民地主義と家父長制に向けられています」「北半球、具体的には私自身の欧州大陸は暴力と威圧によって何世紀にもわたって南半球の多くを植民地支配しました」「植民地主義は、大西洋奴隷貿易や南アフリカのアパルトヘイト政権の悪を含め、国内外に大きな不平等を生み出しました」「白人覇権は持続しています」。

「騙されないようにしましょう。植民地主義のレガシー（遺産）はまだ残っています。私たちはこれを、経済的・社会的不正、憎悪犯罪や外国人恐怖症の増加、制度化された人種差別と白人覇権の持続の中に見出すことができます」「これは世界的な貿易システムの中に見られます。植民地化された経済は原材料とローテク製品の生産に閉じ込められる危険性が高くなります。これは植民地主義の新しい形態です。世界的な力関係の中にも見られます」「アフリカは二重の犠牲者です。第一に植民地主義のために、次にアフリカ諸国は第二次大戦後に設立された国際機関で過小評価されたためです。70年前にトップになった国々は、国際機関の力関係を変えるために必要な改革を検討することを拒否しています」「国連安全保障理事会とブレトンウッズ体制（金・ドル本位制）の理事会の構成と議決権はその好例です。不平等はトップすなわち国際機関から始まります。不平等への取り組みは国際機関を改革することから始めなければなりません」「グローバリゼーションと技術の変化は確かに収入と繁栄において莫大な利益をもたらしています。10億人以上の人々が極度の貧困から脱出しました」

「しかし、貿易と技術の進歩の拡大は所得配分の前例のない変化の一因にもなっています。1980年から2016年の間に、世界で最も裕福な1％が所得の累積成長の27％を獲得しました」「先進国では20歳の50％以上が高等教育を受けており、途上国では3％です。さらに衝撃的なのは途上国で生まれた子供たちの約17％が20歳になる前にすでに亡くなっていることです」「性差と人種差別をさらに定着させるアルゴリズム（手順・やり方）」「男性が牛耳るテクノロジー業界は世界の専門知識と展望の半分を見逃しているだけではありません。性差と人種差別をさらに定着させる可能性のあるアルゴリズムを使用しています。昨年、先進国では約87％の人がインターネットを使用しましたが、途上国ではわずか19％です」「グリーン経済は繁栄と雇用の新たな源となるでしょう。しかし一部の人々が特に脱工業化のラストベルトで職を失うことも忘れないでください。地球温暖化対策だけでなく、（何人にも公平で公正な）気候正義の実現も求めます」「制度や指導者への信頼は低下している。投票者の投票率は1990年代初め以降、世界平均で10％低下しています。疎外されたと感じている人は自分の不幸を他人、特に見た目や行動が異なる人のせいにする主張に対して脆弱です」

「ポピュリズム、ナショナリズム、過激主義、人種差別、誰かをスケープゴートにするやり方は、コミュニティ内およびコミュニティ間、つまり国家間、民族間、宗教間に新しい格差と分裂を生み出すだけです」

▼ネオリベラリズムへの反動　「世界の変化には、ユニバーサルな医療サービスやベーシックインカムの可能性など、新しいセーフティーネットを備えた社会保障政策が必要です」「最低限の社会保障を確立し、教育、医療、インターネットアクセスなどの公共サービスへの慢性的な過小投資を逆転させることが不可欠です。しかしそれだけでは固着した格差は解消できません」「私たちは、社会的規範によって強化された性差、人種、民族における歴史的な格差を是正するための積極的行動プログラムと的を絞った政策が必要です」

グテーレス事務総長の演説に共感を覚える日本人の方もきっと少なくないと思いますが、米英のアングロサクソン連合が推進したネオリベラリズム（新自由主義）への風当たりが、世界的に厳しくなってきたことを痛感します。

③2020年3月23日、アントニオ・グテーレス国連事務総長の表明。

「この世界は新型コロナウイルスという、共通の敵と対峙している。このウイルスには、国籍も民族性も、党派も宗派も関係ない。すべての人を容赦なく攻撃する。その一方で、全世界では激しい紛争が続いている。女性と子ども、障害をもつ人々、社会から隔絶された人々、避難民など、最も脆弱な立場に置かれた人々が、最も大きな犠牲を払っている。こうした人々は、新型コロナウイルスによって壊滅的な被害を受けるリスクも、最も高くなっている。戦争によって荒廃した国では、医療制度が崩壊していることを忘れてはならない。私が今日、世界のあらゆる場所でグローバルな即時停戦を呼び掛けているのも、そのためだ。紛争を停止し、我々の命を懸けた真の闘いに力を結集する時が来ている」」

しかし、中満泉国連軍縮担当上級代表は、次のように述べています。「1970年代以降初めて、際限のない核軍拡競争の亡霊が現れている。我々は、質的核軍拡競争とも呼ぶべきものを目の当たりにしている。そこで言う軍拡とは、数量の面ではなく、より速く、よりステルス性の高い、より精密な兵器を開発することを意味する。核がからむ地域紛争は悪化しており、核拡散の課題はなお存続している。」と。

2019年、米国は軍事費として前年度比5・3％増の7320億ドルを費やした。これは世界の軍事費の38％を占める。米国政府は、2021会計年度予算案で7400億ドルを超える軍事費を要求した。これは、朝鮮戦争やベトナム戦争の最盛期、あるいはレーガン政権による軍備増強のピークにあった1980年代に、米国が軍事目的で費やした金額をはるかに上回るものである。米国政府が示した2021会計年度予算案では、核兵器への支出が前年度比約20％増となっている。これは、予算案の中でも最大の増額であり、その歳出額は450億ドルにも及ぶ。

この度のコロナ感染拡大は、入院を必要とする人は全体のごく一部であり、また、病院が医療行為を提供できなくなるような状況ではなかったにもかかわらず、医療体制は崩壊寸前に陥った。この事実は、核戦争が勃発すると有効な対応手段がなく、その後の復興もまた不可能であることを示唆している。

現在、米国の全都市は新型コロナウイルス感染拡大の直撃を受けて深刻な財政難に直面しており、人員削減や、治安対策を含む重要な事業の縮小を余儀なくされている。

近年の研究によると、米国が1年間に核兵器に費やす金額をもってすれば、ICU（集中治療室）30万床分と人工呼吸器3万5000台分の費用、加えて医師7万5000人分の給料を賄うことができるとされている。

平和首長会議は、世界恒久平和への道筋として、核兵器のない世界の実現と安全で活力のある都市の実現の二つの目標を掲げ、取組を進めている。5月1日には、その加盟都市数は米国の218都市を含む163か国・地域の7905都市に達している。

全米市長会議は、２０１９年7月1日に、15年連続で平和首長会議の取組に賛同する決議を全会一致で採択しており、その中で全ての大統領候補者に対し、核兵器に対する自らの立場を明らかにし、米国がリーダーシップを発揮して核戦争の防止・外交重視政策への回帰・核兵器廃絶に向けた交渉を行うよう要請した。上記を踏まえ、全米市長会議は、以下を決議する。

「まず、全米市長会議は、大統領並びに連邦議会に対し、グテーレス国連事務総長によるグローバルな即時停戦と、新型コロナウイルス感染拡大に対峙するための国際協力の呼び掛けを支持する。

また、全米市長会議は、大統領並びに連邦議会に対し、人類のための安全保障について再考し、現在核兵器や不当な軍事費に割り当てられている財源を、安全で活力のある都市づくりや、人類のニーズを満たす事業に再配分することを要請する。これには、この度の新型コロナウイルス感染拡大により露呈した重要なニーズ——例えば、誰もが安価に利用できる医療制度、政府のあらゆるレベルにおける公衆衛生能力の向上、住居や食糧を確実に供給するための事業、今回及び将来起こりうる感染拡大において自治体や州が最前線となるための確実な資金調達を保証するための措置——に対する即時資金供給を含んでいる。

さらに、全米市長会議は、核兵器の先制使用という選択肢を放棄し、どの大統領にも事前の承認なしに核攻撃を仕掛ける権限を与えず、米国の核兵器の即刻発射可能な警戒態勢を解き、全軍備を見直し強化させる計画を中止し、核兵器廃絶に向けた核保有国間の検証可能な合意を積極的に追求することによって、核戦争防止に向けたグローバルな取組を米国がリードすることを再度呼び掛ける。

そして、全米市長会議は、米国による広島・長崎への原爆投下から75年に当たる２０２０年末までの1万都市加盟という平和首長会議の目標達成を支援し、米国の全ての市長に対し加盟を要請する。」

第7章　新型コロナと弁護士児玉の対談

今まで述べてきた緊急事態宣言、解除、その後の第二波といわれている時期までの前述した色々な出来事を、総合的に新聞記事などを見てみると、コロナは、私達の生き方、今の政治、経済、文化、教育を試していると言えます。今までの新自由主義の経済、政治、教育も含めた欠陥があらわになってきています。そのほころびが生じ、旧来のあり方に執着する人々の偽物さも顕著になってきています。

本物を追い求めてきた私たちは、コロナ期を生き抜くため、カミュの『ペスト』に見られるように、批判に立ち上がって誠実に闘おうとしています。、政治、経済、文化、教育、福祉などの新しい方向が、見えてきています。その風景が前記の新聞記事や人々の声などから見えてきます。これからは、本物を求める方向での闘いによってのみ、明らかにされていくものと思っています。

この章では、児玉の意見を述べる意味で、コロナとの対談方式で最後を締めくくりたいと思っています。

私は感染症の専門家ではないので、感染の専門性の部分は、今までも多様な見解が多い部分があるので、争いのない見解のみ述べ、その上で弁護士としての専門性の点から見解を述べていきます。対談にしたほうがQ&Aにもなり、皆さんにわかりやすいと思ったからです。まず二人の自己紹介から始まります。新型コロナウイルスをコロナとして私は児玉として対談していきます。

コロナはいつ頃から現れ広がったのか

コロナ　世界保健機関（WHO）は、僕をCOVID=19と名前をつけました。病原ウイルスは、SARS（重症急性呼吸症候群）コロナウイルス（SARS=COV）と近録であるとして、SARS=COV=2と呼んでいます。

1～14日間という長い潜伏期間を経て、かぜやインフルエンザに似た症状を引き起こします。軽症の風邪のような症状ですむ人や、症状の出ない不顕性感染の人も、若年層を中心に多くいると考えられています。この症状がない無症状の方が多くいることが他の感染症とは違っていることをまず押さえてください。だから感染実態の把握、無症状者の感染の早期発見、早期治療、隔離のため、世界中でも159位（7月時点）と最も少ない日本では、PCR検査を早急に拡大しなければならないのです。発症約1週間後から肺炎の徴候があられることもあり、特に年寄りは肺炎を引き起こし、さらに重篤化して死に至らしめる危険性もある病気です。

児玉　僕は今までいじめ、非行、虐待、不登校などの子どもの人権、障害のある子、人の人権、七生養護学校裁判、戦争と平和と人権、東京大空襲裁判立法運動、安保法制違憲訴訟などの弁護士活動、過去7年間NHKのラジオ教育相談、20年間全国チャイルドライン支援センターの理事、監事を、立教大学で元人権論の非常勤講師や和光大学の監事などの活動をしてきました。コロナさんに質問します。いつ頃からこの新型コロナウイルスが世界で現れ広がってきたのですか？

コロナ　２０１９年12月、新型コロナウイルス感染症ＣＯＶＩＤ＝19が、中華人民共和国湖北省武漢市において確認されました。それ以降、中国を出発として、感染が世界中に広がっていきました。

世界保健機関（ＷＨＯ）は、２０２０年１月30日に新型コロナウイルス感染症について「国際的に懸念される公衆衛生上の緊急事態（ＰＨＥＩＣ）」宣言をしました。３月11日にはテドロス事務局長が「パンデミック（世界的な大流行）とみなせる」と述べました。このときの感染数は、全世界で12万人あまり、死者数は約４６００人で、いずれもその３分の２を中国が占めていました。しかし、それから１～２週間で感染の中心地はヨーロッパへ、アメリカへと移って今は第三世界に世界中に広がっています。そして７月になって25日には日本の累計感染者数は３万人を越し、26日には世界の感染者数は１６００万人死者は65万人を突破したのです。

児玉　最初の感染から８ヶ月の間に世界中に広がったことに対して、世界中の人々が驚きました。ウイルス学者や公衆衛生学者にも驚きは広がっていきました。人、物、金、情報の大量で迅速な移動と言う21世紀を特徴づける背景が広がる原因としてあります。最近ではテドロスＷＨＯ事務局長は、特効薬は難しいのではないかとも言っています。

みなさんもテレビをご覧なった方も多いと思いますが、今まで世界中で賑やかであった観光地に、今は誰もいない光景を見て、その劇的な変化に驚愕し、世界中に不安と恐怖を共有させました。エボラ、エイズなどは対岸の火事でしたが、今回の新型コロナは、世界中の国民が自分の火事であることを自覚したのです。

まだワクチンや有効な治療も発見されてないこともあり、医療や食品の流通販売などを除く社会経済活動を中断、自粛することによって、人と人との交流や接触を最大限制限する方法が取られてきました。そのため経済への影響が大で、世界中今先行きが見通せず、落ち込みが国際通貨基金ＩＭＦは６月20年全体の成長率をマイナス４・９％（４月時点はマイナス３％）に下方修正しています。また日本では、今年の４月から６月ＧＤＰ戦後最悪の下落年率27・８％減で戦後最悪のマイナス成長に陥っていることが確認されています。そして今欧米では第一波でロックダウンなどの経済停止による恐慌を食い止めるため、経済を再開し、再び感染増大になっている国が多くなって、テドロス事務局長から警告もされています。

このまま、また第二波になればますます経済が落ち込み、戦前の大恐慌にも匹敵するくらい、いやそれ以上の事態になりかねません。そして今この新型コロナウイルスは、感染の恐怖と同じくらい社会活動制約による生活不安、先の見えない不安、恐怖、が大きいのです。

ところで、コロナは日本ではいつ頃から広がりましたか？

コロナ　日本では今年の1月28日に初の感染者が確認され、翌29日から武漢市住在の邦人がチャーター機で帰国、感染者を確認。2月初旬には大型クルーズ船「ダイヤモンド・プリンセス号」の乗客・乗員に感染を確認し、船内に2週間以上留め置かれました。その後、全国で感染者が確認され、ＷＨＯの「パンデミック宣言」から1ヶ月も経たない4月5日、感染者が３０００人を超え、4月7日、国は新型インフルエンザ等対策特別措置法に基づく緊急事態宣言を、7都府県に発令したのです。

児玉　ＳＡＲＳ・ＭＥＲＳが早期に抑制できた背景は、患者が必ず症状を出すウイルスだったことから、症状ある人を集中的に隔離治療することができたこと、また夏という季節も到来してこのウイルスが高温多湿に弱かったことで、まず第一波は抑えられました。しかし新型コロナは上記に述べたように、症状を出す患者は20％しかいないことが厄介で、残り無症状の80％は検査をしなければ見つけ出すことができないことです。

また、先日のＮＨＫのＢＳテレビで、新型コロナの「抗体、免疫」についての特集が放映されていましたが、抗体免疫期限も短期ですぐ消えてしまうのもあったり、抗体となる善玉だけでなく症状を悪化させる悪玉もあったり、従来のインフルエンザウイルスなどで考えられていた抗体、免疫では見られない、特有の特徴があることが世界の症例からわかってきたようです。従って、従来の第一波の時にまだ第一波としても、今までの日本で行われてきた、症状が出た人にＰＣＲ検査し、陽性が出た患者との濃厚接触者を追求する、いわゆるクラスター対策だけでは収束は全く不可能なこともわかってきています。

日本では、無症状感染者が市中感染を拡大し、7月に入って過去最大の感染者数が毎日全国的にも拡大してきていたのです。潜伏期間中や症状のない人、軽い症状の人たちの移動が県や国境を超えてたやすくスピードをもって感染を広げているのです。日本もこのＰＣＲ検査が極めて少ないため、無症状感染者の実態がわからないという困難さがつきまとっています。それにも関わらず、経済回復のため、Ｇｏ Ｔｏキャンペーンを国民の反対にも関わらず断行してしまったためもあって、再び感染が拡大しています。

私が住んでいる世田谷では、前記で述べたように区長が全国に先駆けて、率先してアメリカニューヨークのように早く「ＰＣＲ検査体制をして、感染している人を早く見つけ出し、早く隔離する、早期発見早期治療の体制」を作ろうとしているのです。前記でも述べましたが、早く収まった国は、みんなこの原則を守り実行していたこともわかってきています。

アメリカのニューヨークで、今まで一日10000人以上激増していましたが、これを反省して民主党クオモ知事が地域でPCR検査・抗体検査をいつでも誰でも無料で簡単にできるようにしました。一日6万6000人に検査できるようにして、抗体が消えてもまたやれるようにし、1日の感染者数をゼロ近くに激減させたことからも、この体制を行う必要性が明らかになっているのです。

コロナ　日本の場合、6月に一時収まった時、安倍首相らは民度の高い日本型モデルなどと誇り、専門家会議でもマスコミでも、PCR検査もそれほど必要でないことを述べていましたね。しかし、7月からの毎日1000件以上の感染者が出てきて、東京を中心とした全国の感染率増大に、今では多くのところで、PCR検査が今まで少なすぎたのではないか、やはり検査が必要ではないかと、国や行政に対して野党も医師会も責任要求と要請をするところが、今まで以上に多くなってきていますね。

安倍政権のコロナ対策のチグハグさで、国会を閉じてなんら説明もしない態度に国民も呆れて、30％の支持率の危険区域に入ってしまいました。そしてとうとう8月29日、安倍首相は総理大臣を病気を理由として結果責任を果たせないと辞任してしまいました。

序章で述べた、4月3日の1000人に、児玉メールを何故出したかも含めて、もう一度教えて下さい。

児玉メールを何故出したのか

児玉　この中での吉田教授の論文では、ウイルス対策の有効性は、その政治への市民の理解、政治に対する信頼性即ち民主主義国の情報公開と説明責任、マスコミ報道の自由報道によって、社会のコロナ感染への強度が決まると述べています。この部分が私はとても大切だと思っています。

この間の外出自粛、これからもそうですが、政府は、丁寧に今の感染状況、今後の防止と対応策を説明し、情報公開しながら、国会や地方自治や国民の間で民主主義的熟議が行われることが大切ですが、日本ではこれをやってきたと言えません。それはこの間の3月から7月までの、前述した国や都の感染対策の問題性からも言えます。そしてそれは、世界中の各国の感染対策の経験事例を見ても納得できるものです。

アメリカ、ブラジルなどの事例のように、まずリーダーそのものがコロナ感染は普通の風邪でマスクも付ける必要もないと主張し、今の感染状況と今後の対策も専門家の意見も聞かず、充分な説明もせず、新自由主義の経済益優先で、国民の間での民主主義的熟議もせず、大勢の死亡者を出している現状からも言えます。アメリカは7月29日現在、感染426万人、死者14万7000人。ブラジルでは244万人、死者8万7000人です。私もこのメールで述べたように福祉を大切にするドイツや北欧、人権を大切にする韓国、コスタリカ、北欧などの感染率死亡率の低さからもわかります。

前述したドイツのメルケル首相の、責任をもった国民への協力を求める真摯な発言が、世界中に響きました。ワクチン開発のためにも、グローバルに国際協力して解決すべき問題であるにも関わらず、アメリカ、ロシアなど自国ファーストの国々がそれを阻止しています。ＷＨＯ総会決議は新型コロナウイルス対策に必要な医療技術、医薬品への普遍的で迅速公平なアクセスと、公正な配分を保証することを求めた決議を求めましたが、アメリカは異議を唱えているのです。アメリカ中国ロシアの大国の今の軍事力競争拡大の動きは懸念されるものです。

米中関係は今コロナ問題でアメリカが遅れをとり、経済回復の遅れであせってか、11月の大統領選も意識してか、ニクソン以来の中国関連政策を見直し、民主主義対共産主義とイデオロギー対立を激化させ、覇権争いが新しい局面に入っています。領事館閉鎖など戦争直前の様相を呈しています。国連のグレーテル事務総長が述べているように、新冷戦にしないで対話の枠組みを再建し、対立激化や偶発的衝突を避けるようにしなければなりません。しかし日本の安倍政権と、その後の菅政権は、敵基地攻撃能力保有など日米一体となった安保法制強化の動きをし、懸念されているのです。またイギリス、イタリアなどポピュリズム国家、ハンガリー、フィリピンなど権威主義国家などのコロナ禍での権威主義強化の動きも懸念されます。日本の安倍、菅首相も東京都の小池知事も、維新の吉村大阪知事などもそうです。

このような新型コロナによって国民の生命が危ない状況であるにも関わらず、敵基地攻撃能力をもった自衛隊をと、自民党や安倍政権その後の菅政権は戦争法と呼ばれている安保法制を実現化しようと、維新とともに憲法改正を狙っていることからも言えます。人の命は地球より重く、一人でも死なせてはならないのが第二次世界大戦直後、国連で採択された世界人権宣言、国連規約、各種の人権条約であり、平和での国連の世界中の人類生き残りの約束なのです。

各国の憲法も、例えばドイツ憲法の人間の尊厳は神聖不可侵であること、この条項は憲法改正不可能であること、日本国憲法の民主主義と戦争放棄と平和的生存権を謳った前文、第３章以下の基本的人権条項、特に13条の個人の尊厳尊重、25条の生存権の規定、韓国の人権を人民の闘いで獲得してきたことを反映した憲法前文などからも言えます。そのドイツ、韓国　台湾、ニュージーランド、北欧、コスタリカなどのすばらしい生命人間の尊厳優先の福祉対策で、感染率や死亡率を低くしている国もあります。公衆衛生、医療、福祉に充分お金をかけなければ、コロナ期を生き抜くことができないことも、ようやく明らかになってきています。

そのため重要なのは、今まで福祉、医療、公衆衛生を、新自由主義経済政治でおろそかにしてきた新自由主義国家群は社会の脆弱さを露呈し、今回コロナの蔓延をもたらし、なかなか解決していない状況にあります。その原因がこの新自由主義にあることは、国連のグテーレス事務総長の声明などからも明らかとなっています。日本もそうです。

最近小さな政府として、自己責任押し付けの元祖サッチャーのイギリスのジョンソン大統領も、コロナに感染して集中治療室に入って気づいたのか、「コロナウイルスは社会というものがまさに存在することを証明した」「我々の国民保健サービスを守れ」と発言しています。「社会なんてものは存在しない」「自分の面倒は自分で見てくれなければ困るのです」というサッチャーの発言を否定したのです。また日本でも自民党の地盤であった医師会の会長が、新自由主義政策がコロナ解決を困難にしてることの発言を記者会見で述べてきてまでいます。立憲民主党の枝野議員も共産党などとの共闘関係の重要な課題として、この新自由主義からの決別を謳っているのです。

日本の医療費削減政策

コロナ　コロナ禍の中でこの新自由主義が崩壊してきていることについて、少し日本の医療保険などについての歴史の流れを教えてくれますか。

児玉　医療費削減政策について述べますが、1980年の中曽根内閣の臨調行革で、83年当時の厚生省は「このまま医療費が増え続けば国家が潰れる」医療費を削ることが「良い政治」とし、結果的にコロナ禍で明らかにされたように、ベッドも医師も看護師も不足し「医療崩壊の瀬戸際」に追い込まれ、病院、診療所が経営危機に瀕し、200を超える施設で医療従事者と入院患者の院内感染が起こるなど、異常事態に至ったのです。

人口10万人あたり日本のICUはわずか5床にすぎず、ドイツの6分の1、イタリアの半分、医師数は人口1000人当り2・4人、OECD加盟36カ国中32位で、OECD平均よりは14万人も少ない水準です。看護婦不足も、日本の入院患者の一人あたりの看護婦数は、0・86人で、ドイツ1・61人、フランス1・75人、イギリス3・08人、アメリカ4・19人に比べ全く少ないのです。

次に保健所です。1990年代の地域保健法の「業務効率化」2000年代の「地方分権法」による国の責任後退の下、全国の保健所は1990年の850箇所から2019年には472箇所と激減してしまったのです。公衆衛生にかける費用は無駄なお金だとして削減を図るためでした。それまでは保健所には15から20人くらいの保健師が配置されていましたが、今は5人から6人位程度になってしまいました。だから感染対策の最前線の保健所は、深刻な疲弊状況になってしまったのです。朝から夕刻までPCR検査の相談、入院の斡旋、検体の搬送などに忙殺され、感染者の追跡調査などで超多忙で、「電話がつながらない」「PCR検査が受けられない」などのパンク状況に陥っていったのです。

そしてこれらの医療従事者などは、過酷な長時間労働を強いられて、介護、福祉、保育では労働者平均よりは月10万円も賃金が低くて、低賃金による人手不足が深刻になっているのです。日本病院会など3団体の調査では、コロナ患者受け入れた病院の4月の利益率はマイナス11・8％、1病院あたり平均で月一億円の赤字となっています。全国医学部長病院長会議と日本看護協会は、「新型コロナ患者を受け入れた全国77の大学病院は、このままでは２０２０年度の一年間で５０００億円の減収を被る」との試算を発表しています。全国保険医団体連合会の調査によれば、新型コロナの患者を受け入れてない病院、診療所でも、感染を恐れた一般患者の受診抑制で、4月は医療機関は減収、うち3割がうち5割以上の減収となっています。4～6月期には、全国で3分の2、東京都で新型コロナ患者を受け入れた病院の9割が赤字経営に転落するなど、医療体制の脆弱さが明らかとなっています。

また２０１０年に発表された政府の「新型インフルエンザ対策総括会議報告書」に明記された、感染症対策の組織や人員体制の強化やＰＣＲ検査の体制強化も無視、おろそかにされていったのです。韓国、台湾などのように以前の感染症の反省など全くなく、世界中で企業が活動しやすい国作りが優先で、これらの福祉、医療、保健などの分野の政治は全くおろそかにされていったのが、今までの新自由主義政治経済だったのです。これらの深刻な、新自由主義による、介護、障害福祉、保育、雇用、経済、教育などあらゆる領域に及んだリストラの現状が、コロナ禍であぶり出され、明瞭になって、その転換が今こそ、第二波に向けても求められているのです。児玉メールはこれらを訴えようと１０００人の皆さんに資料を送って、考えてもらおうとしたのです。これがメールのポイントなのです。

コロナ　しかし一時日本は「日本モデル」とＷＨＯからも称賛されたと、安倍首相も小池都知事も誇っていましたが、どうですか

児玉　日本モデルは世界一と誇って、麻生副総理は他国を批判して、日本の民度は高く他国は民度が低いと傲慢な差別的発言をしていますが、全く違っています。逆です。客観的に見て、まずアジアの国々はどこも欧米よりは相対的に感染率や死亡率が低く、そのアジアの中で日本は中国、韓国などより死亡率も高いのです。そして今7月に入ってから感染率の急上昇、第二波に入っても、まだ第二波でなく一波が終わっていないなどと言っており、日本モデルとして成功などしていないことは明らかです。

ＰＣＲ検査数が圧倒的に他国より少なく、来年のオリンピックの開催実現のために、最初から感染対策を真剣になってやらず、初期対応が遅れてしまったことは、色々な資料からも明らかにされています。7月25日の東京新聞の「7月からの感染増加は検査数増加に比例しており（検査数が増加すれば陽性率が下がるのが一般）」「3月17日専門家の東北大の押谷氏が１７０００人の感染予測を示し、19日には３０００人の新たな予測を示していました。ところが21日３２０人の

予測を示し、23日小池都知事はこの320人予測の文書を公表したのです。そして24日にオリンピックの延期決定が出され、元気な声で、今まで少なめの都知事発言が、25日にはオーバーシュート発言をし、その後ステイホームと英語を駆使し、前述の17000人、3000人の資料は誤ったデーターとして廃棄されてしまっているのです。」との記事のように、このような経緯矛盾からも、オリンピックのためと言われてもしょうがないデーターが、次々と明らかにされてきています。

本庶佑、山中伸弥教授も言っているように、実態がわからなければ対策も立てられないのは当たり前の科学的な考え方です。PCR検査は前述もしましたが、世界の経験からも、すればするほど感染防止や感染対策になっていることからも明らかになっています。それにも関わらず不思議なことに、いまだ今も日本は世界で最も低いままなのです。感染数が大きくなり、医療現場が崩壊することを恐れる目的もあるのかもしれませんが、予算費用や現場の混乱をも恐れ、緊急事態宣言でまた経済困難が生まれないようにと、経済活動優先の考えからも、延期されたオリンピックのことからも、政権維持のため、増やそうと本気でしないのです。だから増えないのです。政府は1日20万件の検査体制をめざすと言っていますが、その中身は簡易キットによる抗原検査です。PCR検査に比べて感度力が低く、無症状者は対象にはなりません。また政府の言う1日7万件の検査能力に対しても、最大でも3万件という低い水準で推移し、最近の検査数は減少しています。

東京新聞10月11日「PCR5月以降も難色」のタイトルで、ズバリPCR検査の抑制策を政府で行っていたことを認めた記事がでていましたので紹介します。

〔「PCR検査は誤判定がある。検査しすぎれば陰性なのに入院する人が増え、医療崩壊の危険がある」──。新型コロナウイルスの感染が拡大していた五月、厚生労働省はPCR検査拡大に否定的な内部資料を作成し、政府中枢に説明していたことが、民間団体の調査で判明した。国民が検査拡大を求め、政権が「件数を増やす」と繰り返していた時期、当の厚労省は検査抑制に奔走していた。

厚労省は新型コロナで公費を活用する検査を当初、三七・五度以上の発熱が四日間以上続く人や症状がある濃厚接触者らに限定。重症化リスクの高い人や地域の感染状況に応じて幅広く行えると明示したのは八月下旬だった。〕

しかしよく考えてみれば、もっと早くPCR検査を韓国など同じように増やす対策をやっていれば、もっと速く解決できたことで、結果的に経済的にも教育的にもマイナスにはならなかったのです。プラスになったはずです。私はコロナの専門家ではありませんが、弁護士としての人権の視点から見ても、世界の成功しているコロナ対策の国々をみてみてからも、証拠上明らかと言えるのです。

なぜ日本では重症者や死者が少ないのか

コロナ　それでも、なぜ日本では重症者や死者が少ないのはなぜですか

児玉　やはり国民皆保険による、国民の医療に対する信頼や利用が多く、医療従事者の専門的知見に基づく治療、信頼、基礎疾患への治療への充実、また医療運動による皆保険維持、新自由主義医療改革への反対運動による医療アクセス維持などが挙げられると思います。

コロナ　そうですね。７月になってからの感染数が増えて、国も都もお互いに責任を転嫁しあってなすり合っています。国や安倍政権の説明は、ほとんど国会を閉鎖しているので説明を果たそうとしていません。菅政権でもそうです。知事選で圧倒的再選を果たした小池都政も、東京アラート解除後、感染者が増えても再びせず、責任を国に、新宿などの夜の街、繁華街に自己責任として、自衛、自粛、自主休業させようとし、時には安倍首相の代わりに店名公開、風営法など警察権行使など、厳罰的対応を率先しようとしています。

政府も接待を伴う飲食店での対策として、風営法など感染症対策と関係のない法令を適用した強化策も打ち出しています。風営法は良好な風俗環境と少年の健全発達の目的で、通達でも警察の権限乱用防止のため、捜査の目的や他の行政目的のため行うことはできないとしてることの逸脱でもあります。ガイドラインを守らない店への店舗名を公表する規定も条例も検討し、さらに休業要請に従わない事業者への罰則規定も検討しているようです。

そうなると、事業者との協力関係も壊されたり、警察の権限拡大となったり、国民との信頼関係も失われていくマイナス効果のほうが多くなります。東京新聞の７月30日のこちら特報部で、国立感染症研究所の元研究員で蔵前協立診療所の原田所長は「やっていることが矛盾している。特定の集団を糾弾する魔女狩りをしているだけ」「クラスターを追跡するという最初の方針に効果があったのか検証をしないまま惰性で続けている。今必要なのはそんなことではない。検査数を増やして感染者をできる限りで見つけて隔離する。医療崩壊を防ぐため隔離先を確保する。これまでの考え方を改めることこそが求められている」と述べていますが、そうでないでしょうか。

児玉　緊急事態宣言解除後、７月になってからの毎日１０００人近い全国に広がった感染は、第二波がきたとも言われています。サンデー毎日の記事を４月児玉メールに載せ、ＰＣＲ検査の重要性を多くの人に私は訴えました。でもこのサンデー毎日で批判されていた有識者会議の人々も、途中とうとうＮＨＫ日曜討論会などでもこのＰＣＲ検査の低さ、保健所の今まで政府によって半分まで減らされてきた政策による困難さを、政府に苦言するようになっていました。しかし日本型モデルとＷＨＯから称賛され、一時政府を批判するようになっていましたが、政府の経済的支援に傾いた分科会なる組

織に取り込まれて以降、再び政府の代弁をしています。急増加の中で責任追及をおそれて変化はしていますが。

ニューデール政策とルーズベルト

コロナ　次に児玉のメールで、戦前のニューデール政策のルーズベルト大統領のことが出てきますが、これはなぜですか。

児玉　まず今まで述べたように、このような世界的危機にふさわしい中心的指導者が出てこないかの期待と希望を述べたことがまず一番目です。そしてそれに比べての最低のアメリカのトランプ大統領や安倍、菅首相への批判でもあります。

戦前のルーズベルト大統領のニューデール政策と、平和的生存権についても言及紹介しました。「言論の自由、信教の自由、世界全体からの欠乏の自由、あらゆる国家がその住民に健康で平和な生活を保障できるように経済の結びつきを深めること、世界のいたるところにおける恐怖からの自由で、これは世界的規模で徹底的な軍備縮小、武力行使侵略ができないようにすること」を宣言したものです。まさしく今の世界の現状への人権と平和、生存と健康が必須であることのふさわしいメッセージと考え紹介しました。

このとき今まで、アメリカはレッセフエールの自由な経済政策で、エンパイア・ステートビルのような高層ビルも建てられ、繁栄を満喫していました。しかし1929年ニューヨークの株式暴落で世界恐慌が引き起こされてしまいました。そこに出てきたアメリカの民主党のルーズベルト大統領は、当時の有名な経済学者のケインズ氏の経済理論で、政府の需要政策で消費意欲、設備投資意欲を喚起し、景気を回復する、新しい創造的な福祉国家的政策を成功はしなかったにせよ目指して、アメリカ人を歓喜させ、一世を風靡させたのです。

今、新自由主義の企業の自由な政策が続き、そのため、貧困格差を増大させ、医療福祉を後退させてきました。この新自由主義のため、世界中をコロナ禍でコロナ克服を困難にさせてしまっていることが露呈され、コロナ休業のため戦後最大の不況に突入して、今こそこの現代的なニューデール政策が必要になって、人間優先福祉優先の経済政策への転換が日本でも必要になっていることから紹介したのです。

今このコロナ禍世界危機で、経済恐慌への対応でも、韓国ではこの政策を現代的韓国的に、日本でも政治経済学者からもこの指摘が多くなされています。環境問題でもグリーン・ニューディール政策として世界的にも話題になってきているように、これまでにも述べたように、新白由主義ではこの危機を乗りこえることは不可能になってきています。戦後最大のコロナ禍における世界不況を乗りこえるための新自由主義に変わるものとしての経済政治環境健康政策の参考になるものと考え紹介したのです。そのルーズベルトの宣言は、その内容の本物の質の高さに感動したからです。

ドイツでは、ヒットラーの台頭が動き始めて、この戦前のファシズムへの対抗として、ルーズベルトは大切な役割を演じました。戦後の今もこのコロナ禍で首をもたげているポピュリズムアメリカトランプ、日本の右翼安倍、中国の権威主義国家の香港の国家保安法、ロシアのプーチン永続大統領憲法改正などの、現代のファシズム的策動にも対抗する意味でも重要と思い、児玉メールの最後にルーズベルトのことを書いたのです。

真のコロナ期を迎えた本物の人類生き残りの協調の、グローバル世界を新しく築き上げていくためにも必要と考えたのです。その意味では、国連のグテーレス事務総長の前述した包括的平等宣言や停戦提案などの活躍にも目を見張るものもありますし、相変わらずの人権国コスタリカや北欧のコロナ禍対策の素晴らしさもそうです。希望がわいてきます。

そして日本でも、グリーン・ニューデール政策のように、経済分野では、産業新技術転換を図り、内需の厚い地域分散型のネットワーク型の新しい経済政策への転換、また政治分野では、市民と立憲野党の昨年の参議院選挙前の５月の13項目共通政策（安倍改憲反対、立憲主義違反の法律廃止、防衛予算を国民生活に、辺野古建設中止、東アジアの平和、原発ゼロ、公文書捏造究明、消費税率引き上げ中止、教育予算拡充、最低賃金１５００円、女性差別解消、森友家計南スーダン疑惑解明、報道の自由）実現のニューディール政策への転換が必須です。そのことを強調したかったのです。政治のニューディールも必須です。

今までの新自由主義からの決別には新しい政策が、政治にも必要です。市民と野党との共闘にはこの新しさと政治が変わる、ワクワクさが必要です。

緊急事態宣言及び解除後について

コロナ　次に緊急事態宣言からその解除、またその後、特に緊急事態宣言について、弁護士から見たいろいろな問題点を少し教えて下さい。

児玉　前記記事にもありましたように、３月24日に東京五輪が決まったとたんに小池知事がロックダウンとか大げさな発言が出て、感染者数も急激に伸びて、外出自粛要請など頻繁に、西村担当大臣、小池都知事など他の地方自治の首長がテレビに出て訴え要請していました。

ステーホームと言われて家に閉じこもってしまった私たちは、世界報道自由度66位のテレビに釘付けになってしまいました。国の見解のみを押し付けられてきました。戦前の大本営発表と似てきています。いい番組もありましたが。

新型コロナ特措法も成立させ、緊急事態宣言が日本も遅れながら出されましたが、私たち弁護士の一部は反対しました。コロナ禍一色になり、外へ出ると自粛警察といわれる人たちが出現し、一瞬戦前に帰った感覚になってしまいました。お互いにコロナを注意しあい、監視しあい、日本の世の中も一変してしまいました。

コロナ　これからも世論調査支持率80％賛成の緊急事態宣言は、どう法的にも人権的にも考えたらいいでしょうか

児玉　私達の弁護士の一部は反対しました。日弁連は２０１２年３月に新型インフル特措法案に対して、次の通り人権侵害の危険性を指摘して会長声明を出しました。この法律の条文は、「全国的かつ急速なまん延により国民生活及び国民経済に甚大な影響を及ぼすか恐れがある時宣言できる」とあります。しかしこれは文言が極めて曖昧であること、土地の収容や物資の接収などの私権を大幅に制限できたり、知事は生活の維持に必要な場合を除き、みだりに外出しないことや、感染の防止に必要な協力を要請することができ、多数の者が利用する施設の制限もできる（45条）とあります。

憲法で保障された移動の自由、集会の自由を制限しうる規定で、その要件は生命及び健康を保護し国民生活及び国民経済の混乱を回避するため必要がある（45条2項）という曖昧なものです。ＮＨＫや民間放送など指定公共機関に対する総合調整に基づく措置の実施指示（33条1項）の規定で、放送内容に政府が直接に介入することができます。憲法21条に規定された報道の自由が制限されます。以上のことから反対しました。これを踏襲したのがコロナ特措法で、3月10日国会に提出され、13日成立しました。多くの人々の反対がなされましたので、詳細な付帯決議がなされて成立されたのです。

重大な影響を与えるので、科学的知見に基づいて慎重に判断すること、宣言に至った場合記録とデーターを保存、海外機関との情報共有、ＰＣＲ検査を必要と認められた場合検査すること、人権制限は慎重に、減収への返済期限などへの配慮、政府がとった対応についての第三者的チェックと詳細な付帯決議がなされました。しかし今回、結果として議事録もなく、ＰＣＲ検査や休業補償や科学的検証など不十分であり、逆に今感染率急上昇の中、夜の街への自己責任を持たせた罰則化など、厳罰的改正が行われることの発言も出てきたりしています。

安易な法改正には慎重さが必要です。またこの緊急事態宣言を安倍、菅政権によって緊急事態条項改憲に利用されないよう監視していかなければなりません。むしろＰＣＲ検査を拡大し医療施設を充実化し、休業補償拡大など国民の生命生活を守る政策転換が必要です。そうでないとこの宣言を利用して、これとは違う、ナチスを到来させた日本国憲法に緊急事態条項を入れようとすることの方向に進みます。

この7年間の言論集会表現の民主主義で、最も大切な自由を、安倍政権は制限してきました。今回の菅政権に見られる学術会議への学問の自由侵害もそうです。その首相に大きな権限を持たせると、安易に人権制限が出きる自民党の２０１２年の全体主義的憲法改正ができる方向に進んでしまう恐れと危険も考えなければなりません。北欧などのようにハラミさんも述べていたように、怖い緊急事態宣言の権限は、政府に持たせるのではなく、代わって公衆衛生などの行政機関にもたせ、宣言は勿論、宣言解除も、その判断も、人権保障から慎重さが必要なのです。国会の事前承認などの不十分な点もあります。

今回の法は、前述した問題点はありましたが、強制力を持たせなかったことは良かったと思っています。これを今、自民党や橋本維新の会の人たちはもっと強力な強制力のあるものに改正させようとしているのです。罰則もなく人権制限を少なくしたものにもしせざるをえないとすれば、限定させる必要があると考えています。

コロナ　安倍政権は通常国会を早く終わらせて、コロナ汚染がこれほど急上昇しているのに、安倍首相の説明も国会審議もせずにいるのはなぜですか。またとうとう8月28日、持病を理由に結果が出せないと辞任してしまったのもなぜですか。

児玉　今回の通常国会は、急増したコロナ対策の審議が必要であるにも関わらず、野党から国会再開を要請されているのに、森友・加計・桜など疑惑問題、検察定年延長問題、河合議員汚職疑惑、ずさんなコロナ対策問題などの追求を恐れて、早く閉じて再開しようとしていません。

でも今まで安倍改憲反対運動によって、緊急事態条項の憲法改正ができなかったことは本当に良かったと思っています。もし改正されていたと思うと、日本も権威主義的な強権的なコロナ禍対策が行われたであろうと思うとゾッとします。韓国やドイツのように信頼できる政権なら、その緊急の宣言の権限を、やむなく持たせても、国民は信頼して協力します。しかし前の安倍政権やその後の菅政権のような信頼できない政権には、この強大な権限をけっして持たせてはなりません。だから私は緊急事態宣言がまた必要なら、強制や罰則付きでないものにしなければならないと強調しているのです。

コロナ　そうするとこの宣言を利用した安倍首相自民、維新の憲法改悪発言は、注意しないといけませんね

児玉　例の通り、安倍首相は今年の憲法記念日にまたその後にも、今までの自衛隊明記に加え、緊急事態条項の憲法改悪発言がありました。私達は緊急事態宣言が世界中でなされており、コロナ対策では日本でも宣言を速くやるべきであったとの声も多く、緊急事態条項の憲法改正には、過半数が賛成という世論調査もあったりしています。憲法調査会も開かざるを得なくなったり、先の通常国会は一時緊迫した事態にもなりましたが、検察法改正問題など、コロナ対策の安倍政権のチグハグな対応から、安倍政権の支持率が低下したことからなされていません。しかし、この憲法改正には油断をしてはなりません。国民を自由に規制できる、このコロナ期にどさくさまぎれに、火事場泥棒的改憲もありえますし、私たちは油断せず反対運動を今まで以上強めていかなければなりません。その意味で前記の、各朝日、毎日、東京新聞の緊急事態条項の危険性の警告的な記事は、良かったと思っています、特にハラミさんの記事やＮＨＫ特集でのコロナ期のポピュリズムの独裁化危険性の警告の発言は、光るものがありました。

しかし、国境なき記者団が毎年行う報道自由度の世界ランキングが、今年も発表されました。トップは北欧諸国が占め、Ｇ７では、ドイツが11位、カナダが16位、フランスが34位、英国が35位、イタリアが41位、米国が45位、日本は66位でし

た。

　アジアでは韓国が42位、台湾が43位です。日本に近い国はポーランド（62位）、アルゼンチン（64位）など、かつてメディア弾圧があった国々です。国境なき記者団は各国について、短めのコメントを付しています。日本についてはこうです。「ジャーナリストたちは伝統、及びビジネス利益から、民主主義のウォッチドッグとしての役割を演じるのが困難とみなしている。ジャーナリストは安倍首相が首相になってから、彼らに対する不信の雰囲気に不満を持ってきている。記者クラブはフリーランス記者と外国人記者を差別し続けている」。ソーシャル・ネットワークにおいて、東京電力福島第一原発といった『反愛国的』テーマを扱ったり、政権を批判したりする記者が、SNS上で攻撃を受けています。日本のメディアは販売部数こそ多いが、質的に世界の一流紙の仲間ではなくなっているのです。

　ステイホームと言っても、家で一日中見ているテレビなどマスコミが偏向していることも、私たちの新自由主義からの転換を困難にさせ、この全体主義的改憲もこのコロナ禍で注意をしていかなければならないです。安倍首相の辞任の時も、NHKなど大マスコミは、アベノミクスを推進し、日経平均株式は2万円台に回復、8年間で80の国と地域述べ176の国と地域を訪問、アメリカのトランプとは個人的な信頼関係を構築などと礼賛報道を垂れ流していましたが、歴代最長の原因も、大本営発表のマスコミが戦後最悪の安倍暴走を招いたのではないでしょうか。

コロナを収束させるのは国の責任

コロナ　解除後7月に入ってから、感染率が相当上昇していますね。全国では毎日500人、東京では150人前後で推移し、油断できる状況ではなく、収束はしていません。

児玉　安倍首相も小池都知事も日本モデルと称賛していましたが、全く違っています。なぜかアジアは欧米と比べて感染率も死亡率も低いです。

　BCG説や狩猟民族説など色々言われていますが、うちの孫でも安倍さんの努力ではないこと間違いないと言っています。その通りです。あえて説明しなくても、7月以降も毎日1000人近い全国感染者だったことから明白です。

　血栓症や他の肺炎での死亡者の中に、日本はPCR検査が少ないので紛れ込んでいるのではないかとも言われています。これからPCR検査が今まで少なかったので、無症状感染者が今後のスペイン風と同じように第二次のとき地球上を回って、秋日本は今回以上の被害が起きるのではないか、との声もあります。今までのオリンピックでの初動の遅れの責任を認めず、日々油断のできない数字も出て、相変わらずの国や行政首長の自己責任の自衛自粛要請の掛け声で、自分たちの責任、反省はなく、経済重視の政策が、感染防止の政策を後ろに追いやっています。

コロナ　一体どうなっていくのでしょうか。

児玉　一時ＰＣＲ検査は、医療現場の崩壊を恐れたためか、具合が悪くなっても37・5度が4日続く場合でなければしなくていい、それまでは家庭で手当して、と暗黙の方針で放り置かれ、医療事件での行政や医療機関の「最善の利益を果たさなければならない原則基準」から見ても、国、地方自治体、行政、医療機関に具体的事実如何によっては、法的問題をも問えるケースがあったと思っています。

ドイツ、韓国、台湾などは、経済よりまずコロナ収束・生命重視の政権の姿勢で早く収まって、経済再開が日本よりずっと早い国もあります。そうすればそのような国のようにすれば防げ得たのではないかと言えます。もっと早く収まっていれば、経済的損失はもっと少なかったと言えます。どんな理由をつけても、政府の一番の目的は、児玉メールでも述べた憲法前文の「全世界の国民がひとしく恐怖と欠乏から免れ、平和のうちに生存する権利を有することを確認し」実現することです。憲法13条の生命権、25条の生存権からも言えます。これを経済優先や自己責任でごまかすことは法的に許せません。

コロナ　法律、憲法の条文からも、少し教えてください

児玉　感染症法も、前文や総則で、感染症の患者の人権を尊重し、人権侵害を防止しと規定がおいてあります、特措法も前文や総則規定で、生命及び健康を保護し、と最も大切な生命、健康、人権を尊重することが目的条項に掲げられています。そしてこれの法律の上位である憲法を見てください。まず憲法前文には「われらは全世界の国民がひとしく恐怖と欠乏から免れ、平和のうちに生存する権利を有することを確認する」。11条には「国民はすべての基本的人権の享有を妨げられない。基本的人権は侵すことのできない永久の権利として現在及び将来の国民に与えられる。」と、13条は「すべて国民は個人として尊重される。生命、自由及び幸福追求する国民の権利については公共の福祉に反しない限り、立法その他国政の上で最大の尊重を必要とする」とされ、25条では「すべて国民は健康で文化的な最低限度の生活を営む権利を有する。国はすべての生活部面について社会福祉、及び公衆衛生の向上及び増進に務めなければならない」と規定しています。また、憲法29条3項には「私有財産は正当な補償の下にこれを公共のために用いることができる」と、22条には「何人も公共の福祉に反しない限り、居住、移転の自由、及び職業の自由を有する」と規定し、規定上からも自粛補償をしないことは憲法上問題が起きる虞があるのです。そして健康に生きる権利は国際条約に明記された人権の一つです。国際人権規約の社会権規約は「すべての者が到達可能な最高水準の身体および精神の健康を享受する権利を有する」と規定しています。

日本の裁判例では、今まで私の担当した空襲裁判でも他の戦争裁判でも、「非常時はすべて国民は受任すべき」と責任を負わない国の主張があります。今私達が全国で展開している安保法制違憲訴訟でも、他の多くの国家賠償の被害者裁判

でも、国はなるべく法的責任を否定しようとしてきました。今回のコロナ特措法でも国家責任補償を曖昧にしています。だからこそ、このコロナ問題も日本国憲法から自己責任ではなく、国行政の法的責任があることを私たち国民は今こそ認識しなければなりません。

空襲裁判での受任論、即ち「戦争の非常時は国民すべて平等に受任すべき」との論は破綻しました。この裁判運動で憲法前文、9条、14条などを掲げ、20年以上闘ってきて空襲の悲惨の実態を訴えて、事実と道理から国に責任があると裁判所を変えていったのです。国と雇用関係があれば国家補償しなければならないと規定していても、多くの民間被害者たちは憲法上補償されていれば、取り残されている空襲被害者の方々も、差別される合理的理由はないと憲法14条を加えて主張していったところ、裁判所は、軍人軍属と差別される理由はないから、司法はだめでも国会で立法化に努力することと地裁、高裁、最高裁と判示してくれたため、今その立法運動をしているのです。

8月のNHKスペシャルでも、私達の取り組んでいる空襲被害者への補償立法運動などの戦後補償について放映してくれました。このコロナも前述した法律憲法上から、今までPCR検査を数日、数時間させず、死亡させてしまったのは、前述したように合理的理由もありませんので、最も大切な生命の問題で、憲法も、生存権を生命権を健康権を規定しており、直説明文で憲法25条2項は、「社会福祉、社会保障、公衆衛生の向上及び増進に努めなければならい」とも規定していることからも、政治責任は勿論、法的責任が問われるケースはたくさんあるものと考えています。そして今私の住む世田谷では、前述したように世田谷モデルが日本中に広がるように、市民運動としても展開しています。今後これを国民運動としてどれだけ広がるかです。

「世田谷モデル」を広げる国民運動を

コロナ　どのようにその運動を広げていったら良いのでしょうか。

児玉　前記で世田谷の例を紹介しました。その保坂区長が7月28日BS－TBSのテレビに出た時のことを補充して述べます。

区長は「世田谷モデルとして世田谷からPCR検査を率先してやることを訴えていました。」「国や都を待っていられないので、世田谷区は踏み込んだ形でPCR検査を増やしていくつもりだ」とも話されていました。

出演されていた共産党の小池晃さんも、自民党の田村コロナ対策部長も、世田谷区でそういう形を作ってくれるのはありがたいと述べていました。今PCR検査を本気になって広げないと、コロナ感染状況が大変になっていく訴えを涙ながら訴えた専門家の児玉龍彦さんを交えて、世田谷区もミーティングをされたとのことです。「いつでも、誰でも、何度でも、PCR検査を目指す」と言われていました。1日

３０００件位（都の4倍程度）と。「予算措置はこれから」と「無償で」とまで踏み込んで言いませんでしたが、ＮＹ市などではそうなっていることについて、キャスターが触れていました。

ニューヨークでは、民主党のクオモ知事が、今まで一日に６０００人以上の感染者が出ていましたが、このＰＣＲ検査をいつでも誰でも何回も無償でできる体制に転換したら、感染がゼロ近くに減ったことの体験に学び、第二波と言われる状況下、世田谷モデルとして、私たち区民と医療関係者と一緒にやっていく宣言をしていました。本当に素晴らしい番組でした。

「10人の検体を一つに混ぜて一緒に検査するやり方も考えられる。陽性が出たらその10人を隔離する方式で、時間あたりの検査数を増やし、コストも下げられる」ことも言及しました。保坂さんは、病院や介護現場や学校などから、定期的な社会的な検査を行うことを考え、区長は、感染集中地では面で捉えていくことも必要と述べていました。

また、現在、疲弊している病院への支援を地方創生交付金などを使い、重点的にやっていきたいとも区長は述べていました。これからも、私たちは前述しましたが、国の協力をなかなか得られないＰＣＲ検査の重要性は世界の流れでもあるとの確信をもって、先進的にも世田谷区長とともに後押しして行きたく考えています。

コロナとオリンピック

コロナ　全く初動が遅れてしまったオリンピックはどうなるのですか

児玉　小池氏がオリンピックの簡素化に言及した背景には、厳しさを増す都の財政事情があるからです。新型コロナウイルスの対策費は1兆円超に膨れ上がり、「貯金箱」にあたる財政調整基金は9千億円超の残高をほぼ使い切ってしまいました。景気悪化を伴う税収の減収規模は1兆～2兆に上る可能性が出ています。延期してでも大会を開催するとなれば、数千億円ともされる追加費用がかかります。国際オリンピック委員会（ＩＯＣ）は、最大6億5千万ドル（約７０９億円）を支払う意向を示していますが、残りの大半は開催都市である都が担うことになります。五輪憲章はスポーツを通して体と心を鍛え、人種や国籍、言語、宗教などの違いを超え、平和な世界を築いていこうという「オリンピズム」の推進です。過度に商業主義が進んだ祭典の華美さを排すとともに、安倍政権のナショナリズム高揚の国家主義の、五輪の原点を問い直す機会にも、コロナはチャンスをもたらしてくれたのです。

教育問題と司法問題について

コロナ　次に教育問題と司法問題について教えて下さい

児玉　僕の安保違憲訴訟のメールで、事務局次長の山口さんという方が、子どもが休校で大変であったことと『ペスト』

のカミュについて子ども教育のことを入れたメール文への回答とし、僕は次の通りの子どもの権利についてのメールを入れました。

「児玉です　山口さん皆様へ

素晴らしい文、拝見し共感しています。子供の権利NGOが今度声明を出しますが、その議論の中、子どもたちがどれほど、時の首相の無責任な非専門的な独裁的な休校命令で苦しみ悩み友達など人間関係を遮断され、学童保育を始め、押し付けられた教師らはコロナ汚染の恐怖に苦しみ、家庭は一層の経済的困難に陥り、離婚、虐待など増え、今こそ、ペストのカミュの語る中で、普遍的な現代的な人間の尊厳への大切さ誠実さを訴え、カミュについて僕らで語りあう必要性がある」とのメールを入れました。

また「安保違憲訴訟で、原告本人尋問も証人尋問もしないで6つの裁判所でひどい敗訴判決が出ましたが、今の日本のエリートの裁判官が担っている司法権は、行政を監視し違憲であれば審査も出きるその3権分立の役割を放棄してしまった、今の司法の世界の限界が見え、これから乗り越えようとしている我々の闘いの、コロナ時代での、裁判官への働きかけの課題も見え、感動したことを伝えました。

裁判官に、ペスト感染禍、政府行政批判に立ち上がった人間の誠実さを痛烈に語ったカミュの『ペスト』を読ませたいし、このことを訴えたいし、今までの6つのひどい非人間的な私達への敗訴判決を出した、庶民からかけ離れた裁判官たちが変わる契機を見つけたいですね。欧米の裁判官は、弁護士経験から選ばれる法曹一元化の司法制度があり、日本も採用すべきと、皆さんで考えたいですね」とメールのやり取りをしました。

アメリカ、フランスなどの裁判所で、政府のコロナ対策の問題を違憲としたような判決が出ています。外国では違憲立法審査権の制度は違うこともありますが、三権分立が機能しており、遅れた日本も学ばなければなりませんね。

各国のコロナへの対応と取組み

コロナ　そのアメリカはどうなってきていますか、最近の動きを教えて下さい。

児玉　最近では、感染拡大の黒人の差別反対のデモが広がり、トランプが弾圧をしようとした軍派遣に時の国防長官が反対にまでにいたっています。権力の崩壊状況を示しています。

東京新聞7月5日の一部です。

〈米国で黒人男性の死亡をきっかけとしたデモが続く中、エスパー米国防長官は7月3日、鎮圧のための米軍派遣に反対する姿勢を明らかにしました。マティス前国防長官も声明で軍による対応に反対した上で、トランプ大統領について〈国民を統合ではなく、分断しようとしている〉と批判しました。

２０１７年から2年間、トランプ政権の国防長官だったマティス氏は、米誌アトランティックに寄せた声明で、広場からのデモ隊の排除が憲法で保障された権利の侵害だったと非難。デモ隊に軍事的な対応をすれば我々は憲法をあざ笑う権力者を拒絶し、責任をとらせなければならないと訴えたまでに至っており、アメリカは権力が揺らいでいるのです。」

前述したように、アメリカのトランプは中国の国家保安法など非難していますが、以前キング牧師が国内の差別を許していて、海外の差別を批判した二重基準を批判していましたが、このトランプの黒人への差別の酷さは世界の非難にさらされており、コロナの失敗を中国批判でごまかし、大統領選が近いので、これを利用していると、マスコミなどではトランプ批判がむしろ渦巻いています。

警官によるジョージ・フロイド氏への暴行死事件への抗議行動はまたたく間に、全米2000ヵ所以上、世界72カ国以上に広がっており、日本でも抗議行動が起こっています。

アメリカでは南北戦争で奴隷制を推進した南部連合軍司令官ロバート・エドワード・リーの像が、イギリスではアフリカからアメリカに奴隷として送りこんだエドワード・コルストンの銅像が、引きずり降ろされました。その抗議内容は反奴隷制、反植民地主義への歴史的見直しを迫るものに発展しています。

国連でも、6月19日の人権理事会で、緊急会合を開き、決議「警察官の過剰な力の行使やその他の人権侵害から、アフリカ人、及びアフリカ系住民の人権と基本的自由を促進し保護する」をコンセンサスで採択しました。この決議は2001年の人種差別、奴隷制度を過去にさかのぼって非難されなければならないと、ダーバン宣言の実施を謳っているのです。そしてトランプの大統領再選はほとんど難しくなり、米誌フォーブス（5月号）が米国若者が「社会主義賛成が資本主義賛成を上まわった」と報じられています。若者の4分の1が自殺に追い込まれ、3割がうつ病など心の傷に苛まれています。

コロナ　次にPCR検査などで世界の専門家も評価している韓国についても教えて下さい。

児玉　韓国は、第一に新型コロナウイルスの防疫対策に成功した文在寅大統領に対する信頼と高い支持率の影響が大きいといえます。文在寅大統領は、就任初期は80％の高い支持率で始まりましたが、最低賃金引き上げ政策と不動産抑制政策の失敗、国法務長官の不正問題などで、中小零細企業者たち、そして20代と30代の支持率が下落して、平均40％台の支持率にとどまってきました。しかし、新型コロナウイルスの危機に対し、迅速で積極的な検査、感染確証者の経路把握、4段階隔離体系的な防疫システムで対応して、国民の信頼を回復しました。

特に、新型コロナウイルス事態を「国難」と規定し、全国民に災難基本所得と、中小企業・自営業者支援のための特別融資などの補正予算を編成して、迅速に現金支給を行いました。そのため4月に入ると文大統領の支持率は58％まで上昇し、世論調査が非公開になった投票前日には60％を上回りました。
第二に、今回の選挙は、２０１６年から始まった弾劾キャンドルデモの終着点だといえます。選挙を通して市民たちは、大統領、地方自治団体に続き議会権力まで後退させ、かつ１８０議席を民主党と汎進歩勢力に与えたのです。全世界的な新型コロナウイルスの対応の中で、韓国の防疫システムと市民社会の成熟した対応は、世界的に高く評価されたことだけではなく、西欧国家の防疫モデルにもなっているのです。しかし最近ソウル市長のセクハラ自殺や、不動産問題で支持率が下がってきていますが。

コロナ　人権国北欧などの取り組みはどうでしょうか。

児玉　毎日新聞5月15日「フィンランドは備え、米国は科学を軽んじた」で、米ジョンズ・ホプキンズ大などがコロナウイルスのパンデミックを予測し、警告を発していたにもかかわらず、ほとんどの国は備えていなかった。唯一、準備ができていたと言えるのは、北欧のフィンランドだ。マスクやガウンなどの個人防護具の備蓄が豊富で、感染拡大を抑えられている。背景には、第二次世界大戦で国境を接する旧ソ連に侵攻され、多大な犠牲を払って辛うじて独立を保ったことによる教訓がある。それ以来、フィンランド政府は弱小国としての自覚と自国防衛の意識を高め、戦争のみならず感染症を含むさまざまなリスクに対処するために、物資や食料を備蓄し、危機管理体制を強化してきた。

アジアの国々は新型コロナへの準備はできていなかったが抑止に成功している例は少なくない。ベトナムやシンガポールは動きが早く、スマートフォンのアプリを活用するなどして感染者や濃厚接触者の隔離・追跡を徹底した。特に経済や科学の水準が高いとは言えないベトナムが強力で効率的な対策を講じることができているのは驚きに値す」の記事がでています。毎日新聞の8月13日の発言「コロナにもぶれぬ自律の国」でも元駐スウェーデン特命全権大使の渡邉芳樹氏がスウェーデンの取り組みを紹介しています。

「男女平等、環境、福祉、開放社会、デジタル社会、ノーベル賞などスウェーデンの良好な国家イメージは枚挙にいとまがない。そのスウェーデンの新型コロナウイルス戦略はなぜか誤解された。無謀な集団免疫戦略で大量の死亡者という批判が英米で噴出した。しかし最近では独自の戦略で大きな困難を克服したとの評価が出てきている。スウェーデンは自立した個人のために国家があるという国家個人主義を貫く国である。70歳以上の外出自粛はしたが、ロックダウンはしない。小中の休校はせず、レストランも席を外して営業してきた。コロナ禍は長期戦と見て抑止よりは緩和を志向して、ソーシャルディスタンスと社会経済活動の調和による持続性の維持を基本戦略にしている。4月の緊張から次第に落ち着いてきている。検査拡充で増加した新規感染者も減少。新規死亡者も少なく、想定死者数と比較しての超過死亡率も正常化した。医療崩壊はせず、政府と専門家がいる独立行政府への国民の信頼が驚くほど厚い。基本的にポピュリズムと無関係である。政府は独立行政法人の判断には介入できない。思い切った政治判断は許されず、国民から忌避される。」日本のコロナ対策への批判にもなります。

コロナ　秋になって、欧州各国で新型コロナウイルスの拡大の勢いが増し、1日当りの感染者数は10月9日から初めて10万人を超えて、すでに4月のピーク時の6倍に達しています。死者数も増え始めています。WHOも重大局面にあると指摘していますが、アフリカなど途上国はどうですか。

児玉　アフリカを始めとした途上国の多くは、今もなお、マラリア、結核、エイズの三大感染症に苦しんでいます。新型コロナ、パンデミックはそれに追い打ちをかける深刻な事態を生み出しています。WHOはウイルス封じ込めのためのロックダウンを行うと、3大感染症による死者がそれぞれ10万人増えると予想しています。世界銀行は世界中でおよそ4000万人から6000万人が極度の貧困に陥る可能性があると警告しており、中でもサハラ砂漠の以南のアフリカは最も甚大な被害を受け、ついで南アジアで被害が甚大になると予測しています。2020年度の「ノーベル平和賞」を受賞した「世界食糧計画」は直接的な措置が取られない限りは、2億6500万人が危険的なレベルの飢餓に直面することになると危惧しています。アフリカで感染の蔓延の可能性がある限り、日本も感染のリスクに晒されていると言えるのです。

コロナ　アメリカのトランプは戦時の大統領だ、日本の安倍首相は第三次世界大戦だ、と言っていますが、人間が環境を破壊して、やむなく人間に住みつかざるを得ないことを前に述べましたが、ひどいと思いませんか。僕は人と共存して生きているのですから。

児玉　ひどいですね。コロナとの戦争だと言ってる一部のリーダーの人の中には、戦争が大好きなので、うっかりか、本音が出て、戦後最大の人類の危機の認識が全くなく、自分の政権維持と従来からの自国中心、国家絶対主義の考え方しかありません。安倍前首相を継いだ菅新首相も、自衛隊に敵基地攻撃能力を持つべきとか、専守防衛を超えた憲法改正の動きを平気で模索しています。災害救助には国民は賛成なのを利用して、憲法に自衛隊を明記して、海外でアメリカの下で戦争ができる9条改憲を、また今回のコロナ禍を理由として緊急事態宣言賛成の世論に依拠して、戦争ができる国に維新など改憲勢力を味方にして、変えようとしています。怖いですね。

コロナと人間の共存

コロナ　僕も怖いです。人間が多く死ぬと僕の居場所もなくなります。ぜひ僕と併存できることを考えてくれませんか。僕は人間と共存したほうがよくて、撲滅しようとするとかえって、生き延びるためにやむなく変質して、強毒になってしまうこともあります。インフルエンザも、今ワクチンができて、人間と生存しています。、戦争などにお金をかけるのではなく、軍隊を捨てたコスタリカのように、折角日本にも軍隊を捨てた憲法9条がありますので、自衛隊を災害派遣だけにして、無駄な莫大な軍事費をまず削ることです。そして今やるべきことは新自由主義で削られてきた医療、保健、福祉、教育、介護などにお金を回し、充実させることこそコロナ禍で人間が生き延びられる本物の道ではないでしょうか。みなさんの人間世界のことを考えると。

児玉　いやー嬉しい指摘ですね。君も今人間社会に出現せざるを得なかったのは人間社会の勝手な森林破壊などからが原因で、まず僕ら人間社会が反省してコロナのせいにして、撲滅しようとするのではなく、世界中の人達が国連という世界の問題を連帯して解決しようとする場で、なぜ、今回の新型コロナが出現して、世界中を圧巻しているのか、自国主義で凝り固まるのではなく、手をつないで、新型コロナとも併存し、治療抑止ができ、早く効果のあるワクチンなど開発できるようにすることではないでしょうか。自国経済優先でなく、新型コロナであぶり出された今までの人間より経済優先の新自由主義政治経済から転換して、早く、まず人類の命、人間の尊厳優先の政治経済社会に変え、感染防止と医療福祉生存権優先の政策に転換しなければならないことが、理解できるようになりました。

コロナ　大好きなスウェーデンのグレタさんのように世界中の若い人たちが立ち上がりましたが、僕もその犠牲者でしたが、地球温暖化などで地球環境を破壊させず、また最近では核兵器廃絶の運動とも連携して、人間を、あらゆるウイルスも含めた地球上の生物が共存して生き延びるため立ち上がった動きは僕も感動です。そしてとうとう4月2日国連総会は、決議「新型コロナウイルスとたたかう地球的連帯」をコンセンサスで採択しました。「人類の完全な尊重の必要性を強調し、いかなる形態の差別、人種差別、排外主義もパンデミック対応ではあってはならない。」と世界の総意を決議したのです。さらに7月1日、国連安全保障理事会は世界的な即時停戦を呼びかける決議を全会一致で採択しました。日本を含む15の国の科学者団体学術会議アカデミーは、国際協力の緊急的必要性を訴える呼びかけを行いました。

児玉　アメリカニューヨーク・タイムズは「真の指導者は危機の中で際立つ」と題した社説（4月30日付）で「パンデミックが恐怖と病気、死を拡散」する中「一部は指導者には程遠く時には幻滅させるが決断力、勇気、共感、科学への尊重、基本的良識を示し、それによって人々への病気への影響を和らげている指導者もいると、ドイツのメルケル首相を挙げた」。さらに「感染症の発生を隠蔽しようとする中国の試み、あるいはトランプ大統領のあまりにも長期にわたる軽視が、破壊的であったことは今や明らか」と批判し、真のリーダーシップの要素として、科学への敬意、率直なメッセージの伝達、証拠の継続的な更新、財政支援の迅速な保障などを的確に指摘しています。

コロナ　世界6月号の「パンデミック後の未来を選択する」

山本太郎の論文が、僕が人間と共存していきたいと述べてきたことを的確に述べていますので紹介します。

〔野生動物と共存していたウイルスは調和を乱され、行く場所を求めてヒト社会に入り込んでくる。新興感染症が頻繁に発生する理由はそこにある。

現代社会はウイルスの出現と拡散の双方にとって「格好」な条件を用意する。

しかし、行き過ぎた都市化や人口集中は、コロナのような感染症には脆弱となる。――しかし、ウイルスを主語に考えることで、初めて見えてくる景色もある。

ウイルスは宿主の根絶を意図していないということがある。ウイルスに過度な圧力をかけず、ウイルスと緩やかに付き合っていくということは重要な対策となる。

病原体として研究が始まったことで、全てのウイルスは病気を起こすというウイルスは、ウイルス全体の1%もない。大半のウイルスはヒトと共存している。

ペストはヨーロッパを舐め尽くし、ヨーロッパ社会は、人口の4分の1から3分の1を失った。14世紀ヨーロッパのペスト流行時のように、旧秩序（アンシャンレジーム）に変革を迫るものになるかもしれない。そうした変化は流行が終息した後でさえ、続く。

繰り返しになるが、感染症は社会のあり方がその様相を規定し、流行した感染症は時に社会変革の先駆けとなる。そうした意味で、感染症の汎世界的流行はきわめて社会的なものとなる。その時代、時代を反映したものとして、

ヨーロッパにおける中世ペスト流行は、教会から国民国家への転換点となった。今回の新型コロナの汎世界的流行（パンデミック）も私たちの社会を変えていく先駆けとなる。問題はそれがどのような社会か。国民国家からそれを超えた国際的な連帯への転換点となるのか。あるいは監視的分断社会の訪れの始まりになるのか。人や物、情報が地球規模で流動化するグローバル化によって今回のパンデミックが特徴づけられるとすれば、世界がこれほど驚愕している姿は示唆的でもある。コロナ後の社会が、情報技術（ＩＴ）を主体にした社会へと転換するのは間違いない。しかし情報技術はあくまで道具であって、目的ではない。それをどのように使うかは。私たち1人ひとりが考えるべき問題として残る。その時に大切なことは、明日への「希望」だと思う。

パンドラの箱は、多くの災厄を世界にばら撒いたが、最後には希望が残されたとする説と、希望あるいは期待が残されたために人間は絶望もすることもできず、希望と共に永遠に苦痛を抱いて生きていかなくてはならなくなったとする説である。〕

児玉　僕が最初の方で、コロナが本物を生み出してきている、生きるため、と書きましたが、本当にこの本の原稿を書いている中でそうだと私は確信しています。東大名誉教授の村上陽一郎氏が、その著書『ペスト大流行、ヨーロッパ中世の崩壊』でも、ペスト大流行はヨーロッパ中世の農奴性を没落さ

せ、黒死病は資本主義の発生に決定的なギアを入れたことが書かれています。人類はその歴史の中で、多くの感染症、パンデミックに遭遇し、多大の犠牲と社会の矛盾が激化し、そこを人類が克服し、歴史を変える契機となることが明らかとなっています。

人間にとって最も大切なのは人間の尊厳であり、僕はいつも日本国憲法の97条を暗記しています。紹介します。

「この憲法が日本国民に保障する基本的人権は、人類の多年にわたる自由獲得の成果であって、これらの権利は、過去幾多の試練に堪え、現在及び将来の国民に対し、侵すことのできない永久の権利として信託されたものである。」

僕は昨年『戦争裁判と平和憲法』（明石書店）の本を出しましたが、ある人に原稿を見てもらいました。平和憲法が危ない、その意味では「立憲主義の危機」は良いと思うが「民主主義の危機」の点の記述がないことを指摘され悩んだことがありました。そのため今回のコロナ禍でも、民主主義の危機についても考えるようになりました。

コロナ　世界の国のコロナ禍の状況を見ると、それは児玉さんが新聞記事などを紹介して述べていますが、世界を見てもその通りですね。ポピュリズムと言われているリーダー国と比較的に本物のリーダーがいる民主主義国のコロナ対策の成功度も感染率も死亡率も比例していますね。勿論欧米とアジア、季節要因も付加してみても、そう言えそうですね。

児玉　そうですね。

前述したように、全く真剣さのない責任感もないチグハグな国民からの批判が多いこの間の我が国の安倍首相のコロナ対策は、世論調査でも全く低かったことから言えます。日本モデルなどＷＨＯから称賛されたと、僕はまさかと思いましたが、うちの孫も安倍さんの政策がうまくいったから、世界中でも感染率や死亡率が低かったなどとは言えないと言ってました。都知事選での小池都知事にも言えます。７月に入ってから、全国で１０００人以上の感染者が出、多くの人たちに不安を増大させたことからも明らかです。

コロナ　コロナ禍の中で、前の安倍政権の問題点を教えて下さい。

児玉　コロナ禍でも、自分勝手の非科学的な決断で全国一斉休校にしたり、ＰＣＲ検査もオリンピックのため不十分にし、安倍マスクの瑕疵だらけの遅い配布、迷走した給付金も遅く、配金金や布マスクなど腐敗した権力にしがみついている電通などの大企業に莫大な利益をもたらす、さらに森友、加計、桜など疑惑には全く答えず逃げ回り、コロナによってこの膿が噴出しています。慎重さのない、ゆき当たりばったりのコロナ対策で、国民に全く信用されなくなってしまったのです。とうとう追いつめられて辞任してしまいました。

コロナ　ところで安倍さんが退陣しましたが、菅さんが総理大臣になり、今後どうなっていくのか教えて下さい。

児玉　安倍さんがやめた後の、自民党総裁選は従来と違って、安倍首相が追い込まれてやめたことから、自民党は極めて今まで以上の危機感をもち、政権側は政治的にも数々の働きかけ、動きがありました。

安倍政権を引き継いだ菅義偉氏が、今までどれだけマスコミと官僚に権謀策略と恫喝を行ってきたことかを忘れてはなりません。

官僚では森友問題の時前川さん、安保法制問題の時ＮＨＫのクロ現の国谷さん、ＴＢＳの岸井さんらをやめさせたことは、みなさんよーく知ってるはずです。その菅氏のマスコミ工作の一番目的は世論調査と世論操作です。安倍首相病気退陣とともに、すぐにやってはならない内閣世論調査を忖度していた大手新聞社がやってしまいました。コロナ禍の中で第二章でも述べた不安、危機感の中で「国難での不安を守って欲しいと強いリーダーに期待と支持を集める」効果がまず挙げられます。その上で、３割迄下がった安倍首相の交代が求められていて、直近のＪＮＮ世論調査で、安倍退陣のタイミングが早すぎたは13％、適切だったが51％、遅すぎたが29％合わせると回答者の８割はやめるなら今と感じていたので、やめたことへの好感度が上がりました。そしてその原因が病気となれば、餞別同情相場があります。

今回の安倍首相病気の退陣には、政権の支持率の相場評価を下げられない、むしろ上がる相場が出ることを知っての世論調査、世論操作だったと思われます。負の遺産を覆い隠し功績を称えるようなもともと忖度報道していた大手マスコミは、安倍辞任報道を洪水のように報道し、内閣支持率を、３割から６割に上げました。

大大的にマスコミを使って、東北の叩き上げの改革のイメージをもって、菅新総裁誕生の出来レースが行われたのです。

地元では有名な名家の生まれであるのにもかかわらず、雪深い秋田の山奥から苦労して出てきた苦労人というイメージを日本中に振りまきちらしました。努力すれば自分のようになれる自己責任論を振りまきました。前述したように、共助、公助で、今こそ新自由主義を見直さなければならないにもかかわらず、結果は菅新総理誕生圧勝をもたらしたのです。

前記でも述べた問題の多かった安倍政権の政策を引き継ぎ、コロナでの失敗を挽回すべく、スピード感をもって、目玉として、規制改革と言いながら、失敗したなお一層の新自由主義を引き継ぎ、反国民的な政治を行おうとしています。最近テレビに出まくっている友人の人材派遣会社パソナの弱者切り捨ての格差拡大を招いた新自由主義の竹中平蔵氏の規制緩和と同類の規制改革を唱えています。

縦割り行政の弊害と言いいながら、内閣一元化で人事局独裁が図られたように、新国家主義化が図られてもいるのです。この目くらましとして、携帯電話の大幅な値段値下げを、デジタル庁の創設を、今まで述べてきた安倍政権の崩壊の立て直しを、必死になってやっているのです。

「日刊ゲンダイ」10月22日には、〈菅首相は「竹中教」の敬虔な信者〉の中見出しの中で次の記事を掲載しています。

〔一緒に勉強会を開くなど、30年前から竹中を知る元参院議員の平野貞夫氏がこう言う。

「閣僚だった竹中氏に参院の委員会で『文明論の思想のない経済成長はダメだ』と質問したら、『すべて市場原理に任せればいい』と答えたことを覚えています。市場原理主義の『竹中教』という宗教みたいなもので、その宗旨は『今だけ、カネだけ、自分だけ』。経済的利益を追求できるものに狙いを定め、規制緩和を進める。そこに倫理観はなく、利用できるものは徹底的に利用するのです。そんな『竹中教』にすっかり心酔した『信者代表』が菅首相です」（中略）

実際、国家戦略特区で外国人労働者の家事代行サービスが解禁された際、政府のあっせん事業を真っ先に受注したのは、パソナグループの子会社だった。働き方改革の一環で導入された「残業代ゼロ」の高度プロフェッショナル制度も竹中の主張だった。雇用改革によって人材派遣会社の仕事が増えるわけで、利益誘導のそしりを免れない。（中略）

前出の平野氏が言う。

「菅首相は竹中氏のペースに完全に乗っかっている。竹中氏の言う『アーリー・スモール・サクセス』には理屈や理念はない。目先の食いつきやすい政策で支持率を上げて突っ走れば、大衆は付いてくると思っているのです。携帯電話料金の引き下げはその最たるもので、私の周囲でも『これで2000円くらい下がれば、消費税減税と同じ効果だ』と期待する声が聞かれます。しかし、資本主義のルールに反するような値下げ要求を、自身の人気取りに利用する政策を正当化するのは間違い。菅政権が長く続いたら、この国は大変なことになりますよ」〕

コロナ　非常に危険ですね。

児玉　非常に危険です。よく考えてみてください。

前記にも述べてきた安倍政権は、下記の世論調査では、改憲や安保法制や年金、消費税など個別の政策では6、7割は評価してきませんでした。モリカケ、桜、IR汚職、河合夫妻の選挙買収など、アベ政治の負の遺産も菅さんは引き継ぎ、これらの説明に国民の8割が納得していませんでした。

9月9日の総裁選告示の時は、安倍政権からの継続性について聞いた世論調査では、継続性を期待33%で変化を期待が55%でした。

しかし菅総理は前記のように、得意のマスコミの一層の抱き込みでこの矛盾を解消しようと、総裁選直後も一番にマスコミとの会食を実行したりしています。マスコミの政権批判の本来の役割を全く放棄させ、マスコミはこれに忖度してしまって、一層寄り添ってしまっています。

コロナ　専門家はどう見ていますか。

児玉　僕の大好きな日刊ゲンダイの下記記事は、的確にこの点を示しています。

日刊ゲンダイ2020年9月19日「政権批判を許さず、次々にテレビから消し去る」

大マスコミは「令和おじさん」の庶民的人気などを取り上

げているが、取ってつけたような笑顔を振りまいても菅の過去は消せない。異論に耳を傾けず、数の力で押し切るアベ政治を支える大番頭だったのだ。つい4日前まで、官房長官として臨んでいた会見はどうだったか。３２１２回を数えたが、都合の悪い質問には、木で鼻をくくったような対応の一辺倒。「ご指摘は当たらない」「問題ない」とはねつけ、「いずれにせよ」でけむに巻く。国民を代表する記者たちの問いに真正面から向き合うことはなかったではないか。

忘れてはならないのは、ＮＨＫの「クローズアップ現代」をめぐる14年7月の騒動だ。世論の反発を無視し、安倍政権が集団的自衛権行使容認の閣議決定後、官房長官だった菅が生出演。「法の番人」である内閣法制局長官の首をすげ替え、「違憲」から「合憲」にひっくり返したプロセスをめぐり、キャスターの国谷裕子氏が質問を重ね、「しかし、そもそも解釈を変更したということに対する原則の部分での違和感や不安はどうやって払拭していくのか」と問うたところで番組は終了してしまった。

発言が放送されなかった菅は激怒し、秘書官がＮＨＫに抗議。国谷氏は楽屋で涙を流したと報じられた。「番組改編」を理由に16年3月降板に追い込まれた国谷氏はその直後、月刊誌「世界」（同5月号）に寄稿。一連の出来事をこう振り返っていた。〈同調圧力が強くなってきている気がする。流れに逆らうことなく多数に同調しなさい、同調するのが当たり前だ、といった圧力。そのなかで、メディアまでが、その圧力に加担するようになってはいないか〉〈聞くべきことはきちんと角度を変えて繰り返し聞く、とりわけ批判的な側面からインタビューをし、そのことによって事実を浮かび上がらせる、それがフェアなインタビューではないだろうか〉

毎日新聞特別編集委員だった岸井成格氏も、アンカーを務めていたＴＢＳ系「ＮＷＥＳ23」を16年3月に降板。安保法制成立に邁進する安倍政権の姿勢を問題視して、たびたび番組で取り上げ「メディアとしても廃棄に向けて声をずっと上げ続けるべきだ」と発言。安倍政権は放送法4条が定める「政治的公平」に違反すると騒ぎ立て、本人やＴＢＳに公開質問状を送付するなど、執拗に攻撃して追い込んだのだ。選挙報道をめぐる圧力は常態化。こうやってメディアに「モノ言えば唇寒し」の風潮を浸透させたにもかかわらず、事実上の第三次安倍政権をテレビが持ち上げる奇々怪々である。

「完成させたマスコミ支配を継承」

官邸が各省庁の幹部人事を掌握し、官僚の忖度文化の元凶とされる内閣人事局についても、菅は「見直すべき点はない」と明言。「私どもは選挙で選ばれている。何をやるという方向を決定したのに、反対するのであれば異動してもらう」と言い切っていた。メディアをドーカツし、批判官僚を潰し、政権が代わっても誰にも責任を取らせず、あろうことか、「逆らったら左遷」を宣言する権力志向である。慶應大名誉教授の金子勝氏は言う。「菅政権の誕生によって、この国の社会は安倍政権下よりも残酷になっていく懸念がぬぐえません。弱肉強食の新自由主義に傾倒する菅首相の国家観は『自助、共助、公助』。コロナ禍で自助には限界があり、国家は国民の健康と命を守らなければならない。これがポストコロナ社会に向けた世界の共通認識なのに、それをひっくり返すようなことを言う。そんな人物がこの国のトップであるという現実にゾッとします。選挙で勝てば全権委任を受けたかのような考え方は、20世紀のファシズムの理論で、独裁政治そのものです。そこには国民主権も民主主義もない。国民の代表機関である国会も平気で軽んじる。この国はディストピアと化してしまうのではないか」

日刊ゲンダイ9月24日「権力志向むき出し首相に74％高支持率の危うさ」

日経新聞に続き、読売新聞の世論調査でも、菅内閣は支持率74％という驚異的な数字をたたき出した。小泉純一郎内閣（87％）、鳩山由紀夫内閣（75％）に次ぐ歴代3位の高さだ。違和感を覚えるのは、旧態依然の派閥の論理と密室談合で誕生した菅政権なのに、なぜここまで高い支持率なのかということ。まがりなりにも小泉首相は、派閥の論理を超えて、国民に近い党員投票が決め手となって生まれた。鳩山首相は国民が政権交代を求めた結果だった。しかし、菅首相は違う。安倍政権の権力者たちが、甘い汁を扱う構造を維持するために菅を選んだのであり、国民が求めたわけじゃない。

自分たちにとって都合の悪いことは、隠蔽し、改ざんし、廃棄する。安倍政権で繰り返された悪事だが、それを指揮してきたのが菅官房長官だった菅であり、当然のように菅政権でも継承される。この政権には見過ごせないことが山ほどあるのである。そんな悪辣政権に74％もの支持率を与えてしまうとは……。さらには、不支持率はわずか14％である。まるでプーチンのロシアか金正恩の北朝鮮じゃないか。

この数字はマトモではない。新首相を持ち上げるような大政翼賛的な雰囲気の中で、この国は全体主義に向かっていこうとしているのか。このままでは独裁国家へまっしぐらだ。慶應大名誉教授の金子勝氏は言う。「菅首相は『基本的人権』『民主主義』『国民主権』について語ったことがない。これらを前提にして政治は行われなければいけないのに、『選挙で選ばれれば何をやってもいい』というのが菅首相の政治姿勢なのです。コロナ後の世界の共通認識はいかに『公助』を高めるかです。しかし、『自助』が先にある菅首相は、経済的にも精神的にも肉体的にも強い者だけが生き残ればいいという考え方。ヒトラーに代表される独裁政治の『優生主義』の思想です。そのうえ、国会で施政方針演説をせずに勝手に改革を進めようというのは民主主義をないがしろにしたやり方。内容においても手法においても、日本を独占政治で統率して行く、という表明なのだと思います。国民は苦労人や改革イメージに騙されてはいけない。この政権の危険な本性を見破らなければだめだ」と。

そしてとうとう、菅首相は10月1日、日本学術会議が推薦した会員候補１０５人のうち6人の任命を拒否し、その理由も示さず、戦前の「滝川事件」などを想起させる、学問の自由を侵害した違憲違法の重大事態を平気で引き起こし、大きな政治問題となっていることからも、この政権の危険性を、私たちは充分認識しなければなりません。

コロナと民主主義

児玉　やはり政府というものは、真剣に国民の皆さんのことを考え、日本国憲法の規定を遵守し、むしろこれを実行することなのですね。この憲法を安倍さんも、今度の菅さんも、もともと改悪しようとしていたので、こんな憲法きらいと言っていたことからも言えるのですね。

今まで福祉、医療、保健、教育など予算を削ってきて分断をあおって、奇策な大阪都市構想を掲げ、政治主導、現場軽視で、権力的な危険な地方自治政策を吉村知事の人気を利用して、進めている維新も危険ですね。

そのためにも今、本当の民主主義を政治家が守ること、実現することが、今の時期、最も重要なことと思います。

コロナ　最後にそれでは私達の周りの家庭内、地域、教育、自分などの民主主義について少し教えてくれますか

児玉　①まず家庭内民主主義です。コロナでステイホーム、テレワーク、休校ですべての構成員が家庭にいる時間が多くなり、今までにない家庭内民主主義の大切さが認識されるようになってきました。僕の家庭は毎日コロナの議論で、時には喧嘩も起きます。孫と爺さんが。妻と僕が。娘と僕が。みなさんもそうだと思いますが。コロナ情報が過多で、科学的にもまだはっきりしていない情報で、混乱させられているから尚更です。テレビの専門家のその場限りの見解、無責任なコンメンテーターの非専門的な政権支持の意見には呆れています。あまりいろいろな説考え方を乱発しているのでみなさんも混乱し、ますます不安になっています。ファシズムの餌になりかねません。

コロナは未だ不可知のようです。いつ収束されるか、第二次はいつくるのか。僕は喘息なので、新型コロナにかかると大変と、最初の情報も今は大丈夫との情報に変わったり、テレビ、新聞、雑誌などでは色々な説が、考え方が飛び交っています。僕はこの本の基本もそうですが、臨床を大切にし、今まで蓄積された事実のみを信頼し、この事実に基づいた議論をしていない人を全く信用していません。

従ってコロナでの議論では、余計に家庭内民主主義が形成されます。しかし経済的な困難が到来しているので、この困難の中、家庭内暴力が、ＤＶ、児童虐待、子ども親への家庭内暴力が増えてきてもいます。家庭内民主主義がコロナ禍で生き延びるため大切になってきています。

②次に地域の民主主義です。憲法、第８章の地方自治の重要性です。新型コロナによる緊急事態宣言の新型コロナ特措法で、各種々の制限などが任され、今回各地方自治体で、多様な取り組みが競争的、連帯的な取り組みが結構なされており、時には政府に対して、休業要請補償制度を対策を共同

で要請したりしています。これが結構、第一波の早期解決に至った原因にも挙げられています。

僕は最初、感染ゼロの岩手、新潟など政治的観点から、市民と野党の共闘の自治体の優位性を関係者に強調していましたが、それだけではなく、和歌山のケースのように真剣にＰＣＲ検査を有効強化実行し感染率を低く抑え、全国にモデルとして参考になったケースもありました。さらに秋田での、知事・県・市議会・科学者・住民・地方紙が、それぞれ「オール秋田」の運動となり「イージスアショア新屋配備」を断念させたのも、住民の力、市民の力の大切さを示しています。沖縄の「辺野古基地建設反対」のオール沖縄の玉城デニー知事の闘いもそうです。

そしてとうとう、僕の住む世田谷も前記で述べたように私達が実現誕生させた地域市民連合と保坂区長との連携で、ＰＣＲ検査実行の要望書を出したり地方自治実現の市民運動を行ってきました。世田谷モデルが全国に広がっていけることを期待しています。地域民主主義の大切さです。

③次に教育民主主義です。安倍首相はコロナの専門家にも教育の専門家にも相談せず、休校命令を勝手に出して、3ヶ月も学校を休ませ、子どもは感染率が極めて低いにも関わらず、学ぶ権利、成長発達する権利、遊ぶ権利、などを奪いました。子どもは、精神的にも不安状況に置かれていましました。

教師も今まで教師の自由を奪われていて、少ない人数の中、大変な状況に置かれてしまい、コロナ感染不安にも、長時間労働にも耐えざるを得なくなってしまいました。授業再開に至って、これからは、コロナ禍対策として、我々の子供の権利のＮＧＯが声明を出したように、20、30人少人数学級実現や、学習指導要領の柔軟化授業数の減少化、教師の増員、教師の自由化、子どもの権利委員会からの勧告の過度の教育競争の解消、休息の権利、遊ぶ権利保障など、教育民主主義が大切になってきます。僕が応援している障害のある子の権利を国連へ届けるグループの元教師の方々が、今年の東京都の特別支援教育の卒業式に、コロナのため省略された儀式の中で君が代を歌わせて、障害のある子の健康をどう思っているのか批判した闘いの取り組みが新聞に載っていました。このコロナ期に膿が出てしまったケースの一つです。

また最近では、安倍政権の右翼的歴史認識の育鵬社の教科書の採択が減り始めてきています。

④最後に自分の民主主義を、自律と自立と自己決定で本当の自分を取り戻し、自分をつくる人生と新しい生活をつくることです。政府の専門家会議も、新しい生活様式を、二波三波を防ぐためにも家にとじ込むようなことではなく、自分の判断と決定を求めています。

今までの生活や仕事や人生が、コロナ禍で全く変わってしまった人たちがほとんどです。自粛を強いられ、労働形式も、学校も、家庭も、地域も全く今までと全く変わってしまいました。

自分を律する、コントロールできなければ、コロナに打ち勝てません。どんなとき、どんな人との距離をおいて、どんな清潔さを保ち、体力も免疫力もつけて、医療機関や薬も主体的に、医者に任せるのではなく、自分で判断して、自分で決めるという生活人生に、益々なっていく時代に来たのでないでしょうか。

僕はそうしています。まず生き生きと生きるため、他人のためになる仕事や市民運動、憲法裁判運動に参加することが、生きるホルモンを多く発し免疫力を高めます、運動と食事、睡眠にも気をつけて、飛沫感染を防ぐため外出する時マスクを、帰ってきた時手洗い、うがい、ソーシャルデスタント、三密防止にも気をつけています。でもこれらもいつも具体的に柔軟的に自分で判断して自分で選択して、臨機応変に変えながら、過ごしています。そしてコロナ下の政治や経済、文化政策などに関心を持ち、安倍政権の高検検事長の定年延長問題、森友、加計、桜問題、菅政権の学術会議任命拒否問題等の正義に反した政治問題もコロナ抑止とも関連していることに気づき、その裁判や告発にも積極的に参加しています。

この後でも述べますが、見事、庶民の普通の一人の女性がSNSで発信してコロナ期の世の中を変えてしまったことも、この自分の民主主義を作り上げたものと考えます。

⑤その彼女の声を紹介します。

彼女のたった1人で始めたTwitterデモ「#検察庁法改正案に抗議します」が900万ツイート越えのトレンドになり、芸能人や著名人の方まで参加する、史上最大規模のオンラインデモになりました。

〔私は30代の会社員で、広告制作の仕事をしています。ずっと仕事一筋で政治に無関心な人生を送ってきました。2年前くらいから日本で女性として生きるしんどさを感じてフェミニズムに興味を持つようになり、Twitterで発信を始めました。普段から女性の権利や社会問題について話しているので、政治の話をしても全く空気が壊れないコミュニティです。

国会を真面目に見始めたのは最近のことです。マスク2枚とかお肉券とかお魚券とかＧｏ Ｔｏキャンペーンなどの政策が発表され、国民の生活が逼迫しているときにおかしいなと思い始め、初めてまともに国会を見るようになりました。でも国会を見ているうちに、首相や大臣の答弁がちゃんとした答えになってなかったり、コロナ患者の数を答えられなかったり、納得いく議論もせずに法案を通したり……政治家さんは政治のプロだから任せておけば大丈夫と思っていたけど、疑問を持ち始めました。ずっと家にいて暇だったので、報道ステーションのワイマール憲法特集の動画を見たり、北海道放送制作のドキュメンタリー「ヤジと民主主義」を見たり、ニコ生の安倍首相の番組を見たり、政治について気になることを調べるようになりました。

せっかく声を上げたのにって。でもいま国民が声を上げなければ、政治は変わらない。どうすれば政治に声を上げたい人が増えるんだろう？

じつは私自身も声を上げることに抵抗を感じたことがあるんです。フェミニズムに興味を持ち始めて間もない頃に、大声を出す系のデモに2回ほど参加しました。初めての会場に行くだけでも緊張し、初めて会った人たちとコールを叫んだり、街を歩いたりする。声を上げる自分を街頭でオープンにすることに心の整理がつかなかった。もちろん無言で歩くだけということもできるけど、それでも当時の私にはすごく勇気がいるアクションでした。

いっぽうで参加しやすいなと思ったデモもありました。フラワーデモというイベントで、毎月11日に花を持って広場に集まって、大声を上げることもなく、性犯罪の被害にあった人たちの話に静かに耳を傾けるという集まりです。もし自分が話したくなったら話すこともできます。絶対に話さなきゃいけない雰囲気もありません。デモという名前なのに、静かで優しい空間がそこにはありました。そんな安心できるデモにも関わらず、やっぱり会場に行くときには全身が強張っていました。

もしかしたら今の日本は、①日頃から政治にすごく関心がある人の世界②これまで政治に発言してこなかった人の世界、この2つが長らく分断されていたのかもしれない。だからこれまで関心がなかった方が声を上げてみようとするときに、ちょうどいい居場所や方法がないのかもしれない。フェミニズムにせよ政治の問題にせよ、というか広告とかも全部そうなのですが、初めて誰かがその世界を知ろうとする時、その敷居の高さで興味を持ってもらえなかったら、非常にもったいないんじゃないだろうか？そんなことをグルグル考えつつも、特に何もアクションもせず、グダグダ食って寝ての毎日を過ごしていました。

政治の話、どう伝えれば？

グダグダ考えている際に、学びになった2つの番組がありました。文春で近畿財務局の赤木さんの遺書をスクープした記者の相澤冬樹さんと、メディアコンサルタントの境治さんが、お酒を飲みながらジャーナリズムを語るネット番組です。その中で、どうすればコロナきっかけで政治に興味を持ち始めた人に赤木さんのことを知ってもらえるだろうと語り合っていました。政治に興味がない人を見ると「けしからん」「政治に興味を持て」とか言う大人って多いですよね。でもお二人はその事実を受け止めた上で、どうメッセージを伝えていくかを考えているように見えました。

さて、やっと黒川検事長の定年延長問題にたどり着きました。この法案、最初は「別に定年後も働かせてあげればよくね？」と思っていました。でも調べれば調べるほど、政治的思考だけでなく、民主主義レベルでヤバイことのでは？しかもコロナで緊急事態宣言が出ている中で？と不安になりました。4月から法案の行方が気になってはいたのですが、5月8日（金曜日）にいきなり内閣委員会で野党欠席のもと審議されて、来週には法案が通ることになったというニュースを見て震え上がりました。マスコミも大々的に報道せず、こっそり隠して採決まで持ってこうとしているようにも見えました。いても立ってもいられなくなり、とりあえず金曜の夜に1人でTwitterデモをやってみました。自分から発信した初めてのオンラインデモでした。

□□♂1人でTwitterデモ♂□□#検察庁法改正案に抗議します
右も左も関係ありません。犯罪が正しく裁かれない国で生きていきたくありません。この法律が通ったら「正義は勝つ」なんてセリフは過去のものになり、刑事ドラマも法廷ドラマも成立しません。絶対に通さないでください。

　これまでグルグル考えていたことをベースにしながら、見た人がリツイートする敷居を低くしたいなと思いました。だから燃えるような怒りというより、静かな意思を感じられる表現にしました。それはデモビギナーの自分にとっても、自分らしく気負いなく言えるワードだったなと思います。ドラマなどの例えは、まだ知らない人にも分かりやすく伝わるようにと心がけました。独りぼっちで寂しかったので、バニーの絵文字を入れて行進してるっぽく見せました。本当はデモの時間を決めるべきだったけど、いつに設定したらいいか分からなくてしませんでした。ぶっちゃけ本気で拡散させるぞ！なんて言う気は全くありませんでした。

　そして予想外の事態へ……。

　最初はいつも仲良くさせてもらってるフェミニストの方々が投稿に反応してくださいました。フェミニスト界隈の人たちは、フェミニズムや政治について誰かが声を上げると応援してくれる空気があるんです。個人的にはフェミニストの人たちとその周辺の人たちに知ってもらえれば、それでいいかなと思っていました。法案が通ったら最悪だけど、やばくなったら誰かがオンラインデモしてくれるだろうし。

　ところがです。しばらくして、手作りバナーや相関図を作るアカウントさんが出てきたり、政治にアンテナの高いアカウントさん、作家さん、さらには野党の議員さんにも、ツイートが広がっているのに気付きました。

　そして土曜日の午後に27位にランクインしていました。
夕方にはあっというまに3位に
で、気がついたら1位に……

　さら芸能人やアーティストの方々がタグを使って投稿をしてくださり、いつの間にか１２０万ツイート、１５０万ツイート、夕方には４００万ツイートと伸びていきました。本業でもこんなに話題になったことないのに……。

　私の憧れの作家やアーティストが私のタグを使ってつぶやいている……しかも広告クリエイターのレジェンド糸井重里さんまでもが賛同してくれてる……ニュースで取り上げられてる……ハッシュタグを作ってくれてありがとうと感謝されてる……何が起きているのか理解できない……しかも政治を語ってこなかった日本人が、政治を語るという行動変容を起こしている……どうしたんだ！！

　みんなコロナ禍で不安な日々を過ごす中で、政府への不信感が高まっていたのですよね。だから放置していてもきっと誰かがオンラインデモを始めていたでしょうし、それは大きく広がっていたでしょう。でもその1歩を自分から踏み出せたことは、本当に大きな出来事でした。

某大御所コピーライターさん（忘れちゃった）が「この指とまれ」を書くのがコピーライターの仕事だと言っていました。私の「この指とまれ」は小さく未完成な声だったけど、Twitterの中で拾ってもらい、色んな影響力と創造性のある方々に使っていただいて爆発していったように思います。

そして、これまでオンラインデモを立ち上げ、ノウハウを蓄積してきた先人の方々がいたからこそ、今回の投稿ができたのです。

どんな声でも出していい。

今回だけでなく、Twitterで何かを言おうとするたびに、これ言ってもいいのかな？　くだらないかな？　叩かれるかな？　と迷うことがあります。そのたびに、作家の栗田隆子さんの言葉を思い出すんです。（7連の投稿です。ぜひクリックして最後まで読んでみてください。）

自分の声なんてどうせ誰も聞いてくれない、声を出しても無駄、そういう風に思わされる経験をいっぱいさせられてきてる人は多い。この日本では。

無理に出せとも言わない、でかい声でとも言わない。でもどうか、声を出したいと思ったら出していいのだと思って欲しい。どんなにかすれ声でも低い声でも。」

あとがき

昨年明石書店から『戦争裁判と平和憲法』を出させていただきました。評判もよく、安倍首相の改憲を許さない平和裁判運動などにも貢献できてきたと思っています。

ところが今、新型コロナが日本のみならず世界中を圧巻し、パンデミックとなり、最初に書いた、私の児玉メールが結構反響を呼びました。本書でも述べましたように、コロナ禍は本物を生み出すとして、医療、公衆衛生、労働、教育などの分野で、今までの新自由主義の原因で、矛盾、問題が多く出てきました。そのことが確信となって、多様的な市民運動をやりながら、この原稿を4月の児玉メールから書き続けてきました。ようやくまとまってきたところ、安倍首相が突然病気で辞任して、菅政権に変わって、学術会議の任命拒否問題に見られるように全体主義的行動に、大きな懸念を感じています。

今まで述べてきたようにWITHコロナ、AFTARコロナを考えてみると、本書で述べたように、大局的には世界も日本もコロナが今までの矛盾問題を洗い出してくれて、過去の感染歴史と同じようにペストが近代を迎えたように、新自由主義が崩壊し、本物が本流として歴史が前進してきているものと考えています。

しかし一方では、非常時として、逆な、国家の独裁化権威主義化の負の歴史後退の動きも起きています。まさしく日本では数日前まではこの本書でも述べたように、安倍首相が支持率3割まで落ち、アメリカのトランプなどと同じように、偽物は崩壊する予言が当たったと思っていました。けれども、国家の危機感からか一転して、コロナとの対談でも述べましたが、菅政権の安倍政権以上の一層危険な偽物政治が生まれ、一時的には予想は外れてしまいました。安倍政権の後継と言って、コロナがあぶり出した原因となっている新自由主義をなお一層国民の期待に反し、より強力に実行に移し、今後私たちの生活や健康、幸せを崩壊させていく動きが大となってきています。

安倍時代の政治疑惑も番頭の現菅首相が封印してきたことからも、新国家主義の、薄笑いの見えにくい影の冷徹政権とした本物が見えてくるようになれば、偽物が剥がれ、早かれ遅かれ安倍首相と同じ運命をたどるものと確信し、急いで原稿を完成させた次第です。

核兵器禁止条約が10月24日のホンジュラスの50カ国目の批准寄託で、来年1月22日、とうとう国連で発効されることになりました。僕も広島で赤ちゃんの時、黒い雨にあたって中学校の時、白血病で佐々木禎子ちゃんと同じ運命をたどって死んでいった親友を思い浮かべました。また戦争中の空襲被害での悲惨さと戦後の差別で、精神的にも肉体的にも苦しんできた東京大空襲裁判のもう年で時間もない原告の方々を思い浮かべています。そして本書のグテーレス国連の事務総長の声明でみられるように、コロナ期で戦争と平和と人権生命の危機も一層ましてはいますが、一方では、世界の平和と人権の流れは本物の本流の流れとして、その歴史的事実は確信となってきています。この原稿を書いてよかったと胸に刻みながら、最後の筆をおきたく考えています。

本書にご協力、尽力していただいた、いなほ書房の星田宏司さんには、本当に感謝しています。

児玉 勇二（こだま ゆうじ）

1943年東京生まれ。68年中央大学法学部卒業。71年裁判官就任。73年弁護士となる。日本弁護士連合会元子どもの権利委員会副委員長、元関弁連人権委員会委員長、元NHKラジオ教育相談担当、「チャイルドライン支援センター」元理事、監事、元立教大学非常勤講師『人権論』、子どもの権利条約・市民NGOの会共同代表、子どもの人権研究会共同代表、学校事故・事件被害者全国弁護団副代表、コスタリカの平和を学ぶ会共同代表、世田谷戦争をさせない1000人委員会共同代表。

主な著者に 「戦争裁判と平和憲法」戦争をしない・させない（明石書店2019年)、「知的・発達障害者の人権──差別・虐待・人権侵害事件の裁判から」(現代書館2014年)、「子どもの権利と人権保障」(明石書店2015年)、「性教育裁判──七生養護学校事件が残したもの」(岩波ブックレット2009年)、「ところで人権です」(岩波ブックレットNo.490日弁連編、(共著) 1999年9月)、「子どもの人権ルネッサンス」(明石書店1995年)、「障害をもつ子どもたち」(編者　明石書店1999年)、「障害のある人の人権状況と権利擁護」(明石書店2003年)。

担当裁判　東京大空襲裁判弁護団副団長、安保法制違憲訴訟常任幹事、北本市、滝川市いじめ自殺裁判、七生養護学校障害児性教育への不当介入裁判弁護団長、中国人強制連行裁判、市民平和訴訟など。

コロナ時代を生き抜くヒント──本物を求めて

2020年11月20日　第1刷

著　者　　児玉勇二

発行者　　星田宏司

発行所　　株式会社　いなほ書房

〒169-0075　東京都新宿区高田馬場1-16-11

電　話　03(3209)7692

発売所　　株式会社　星雲社

(共同出版社・流通責任出版社)

〒112-0005　東京都文京区水道1-3-30

電　話　03(3868)3275

乱丁・落丁本はお取り替えします。

ISBN978-4-434-28166-2